日本共産党第26回大会

決定集

新しく選出された中央役員と、閉会あいさつをする志位和夫委員長＝2014年1月18日、静岡県熱海市

日本共産党第26回大会は、２０１４年1月15日から18日までの4日間、静岡県熱海市の伊豆学習会館でひらかれました。この大会の全決定文書および関連諸文書をまとめて掲載します。大会で選出された新中央委員会、中央委員会の機構と人事、大会で承認された名誉役員も合わせて掲載します。また、日本共産党綱領と日本共産党規約を収録します。

目次

志位委員長の開会あいさつ

1月15日

大会にお集まりの代議員および評議員のみなさん。インターネット中継をご覧の全国のみなさん。

私は、ここに、日本共産党第26回大会の開会を宣言いたします。（拍手）

そして、この党大会の準備と成功のために力をつくされたすべての党員のみなさんに、党中央委員会を代表して、心からの感謝と連帯のあいさつを送ります。（拍手）

在日の大使館の方々の紹介

この大会には、会議を傍聴していただくよう、日本で活動されている各国の大使館の方々をご招待いたしました。つぎの16の国の大使あるいは外交官の方々のご出席をいただきました。国名を日本の五十音順に紹介いたします。

アンゴラ、イスラエル、キューバ、グルジア、スペイン、チェコ、中国、ドイツ、ナイジェリア、パレスチナ、東ティモール、フィンランド、ベトナム、ベネズエラ、ラオス、ロシア。以上の国ぐにの大使館の方々であります（拍手）。遠いところまで、わざわざお越しいただいたことに、心からのお礼を申し上げるものです。（拍手）

私たちは、海外を訪問しての活動とともに、在日の大使館の方々との交流、大使館の方々を通じての各国政府との交流を、外交活動の重要な部分と位置づけて、日ごろから力をそそいできました。

いま、日本外交は、さまざまな行き詰まりや孤立化の危険に直面しています。今日の世界は、地球上のすべての国ぐにが、政治・経済・文化において深いつながりをもって発展しており、世界の大きな流れ、とくに近隣諸国との友好関係を無視しては、日本の前途を開くことはできないと、私たちは考えています。

それぞれの国の政府とわが党の立場とは、共通点もあれば、相違点もあると思いますが、大会の様子を通じて、日本の政治の一部をになっているわが党の活動を、ありのままに見ていただき、相互理解と友好が深まることを、私は、心から願うものであります。

亡くなられた同志たちへの追悼

前大会は、２０１０年１月に開かれましたが、それから現在までの4年間に、全国で1万8593人の同志たちが亡くなりました。新しい日本をめざし、世界の平和と社会進歩を願う初心を貫いて、日本共産党員として最後まで活動されてきた方がたであります。

この同志たちを第26回党大会の名において追悼するために、黙とうをおこないたいと思います。ご起立をお願いします。

黙とう。

黙とうを終わります。ご着席ください。

開始された躍進を、日本の政治を変える大きな流れに

みなさん。

前党大会以降の4年間、私たちは、さまざまな困難や試練、曲折を経験しましたが、それを全党の英知と奮闘によってのりこえ、昨年の東京都議会議員選挙および参議院選挙で躍進をかちとり、２０１０年代を党躍進の歴史的時代にしていくうえで、重要な一歩を踏み出すことができました（拍手）。私は、この間の選挙戦でわが党によせられたご支持、ご支援に、あらためて心からの感謝を申し上げるものです。（拍手）

この第26回党大会は、開始された躍進を、決して一過性のものに終わらせることなく、日本の政治を変える大きな流れへと発展させるための方針と体制をつくりあげることを、大きな任務としています。

大会決議案を練り上げ決定する
——綱領にたった科学的方針として

大会の任務の第一は、日本共産党が内外の諸課題にとりくむ基本的方針を打ち出した大会決議案を練り上げ、決定することであります。

決議案は、「自共対決」という角度から、情勢をどうとらえるのか、たたかいにどうのぞむかについて、今後の方向を太く明らかにしています。

ここで強調したいのは、10年前の２００４年の第23回党大会で決定した新しい綱領の生命力が、決議案のなかで大いに発揮されているということです。

綱領は、情勢を、表面や目先の現象だけでなく、深いところから長期の展望をもってとらえる科学的な羅針盤となっています。

またそれは、日本の政治を国内の力関係だけで孤立的に見るのではなく、21世紀の世界の大きな流れのなかでとらえる指針ともなっています。

いま、私たちは、安倍・自公政権の国民の利益に背く暴走と正面から対決し、新しい日本をつくる仕事にとりくんでいますが、綱領の目で現状をとらえ、前途を展望してこそ、広い視野にたち、揺るがぬ確信をもって進むことができる。決議案は、そのことを生きた形で示していることを、私は、強調したいのであります。

みなさん。全党討論の締めくくりとなる大会での討論によって、決議案をさらに練

り上げ、私たちの進路をてらす科学的方針として、立派に仕上げようではありませんか。（拍手）

全国各地の実践がつくった「宝」を共有財産とし、さらなる躍進を

第二は、4年間の全党の奮闘がつくり出した豊かな経験と教訓を、討論をつうじて大いに交流し、この大会を、来るべきいっせい地方選挙、国政選挙での躍進をかちとる一大跳躍台にしていくことであります。

この4年間、さまざまな分野で一致点にもとづく共同――「一点共闘」が画期的な発展をとげ、そのなかで党と新しい人々との連帯の輪が大きく広がりました。

選挙戦においても、党建設においても、「国民に溶けこみ結びつく力」を強めることと一体に活動の前進をはかるという、新しい探求と努力がなされました。全国各地の実践によって、たくさんの「宝」ともいうべき教訓がつくりだされています。

みなさん。大会の討論をつうじて、そうした「宝」を全党の共有の財産とし、日本共産党のさらなる躍進の力としていこうではありませんか。（拍手）

新しい中央委員会の選出――若い幹部と試練ずみの幹部が力をあわせて

第三は、綱領と大会決議の具体化、実践の先頭にたつ新しい中央委員会を選出することであります。

4年前の党大会では、「将来を展望した幹部政策として、中央委員会のあり方を見直し、とくに准中央委員については、後継幹部として成長することを任務として位置づけ、将来性のある若い幹部、新しい幹部、女性幹部の大胆な抜てきをはかる」（大会決議）という立場にたって、中央委員会を選出しました。

この4年間、少なくない若い同志が、その力を生き生きとのびのびと発揮し、たくましく成長しつつあることは、わが党の将来にとって大きな希望であります。

今回の党大会でも、4年前の党大会の方針を継承し、将来性のある若い幹部、新しい幹部を抜てきするとともに、知恵と経験に富んだ試練ずみの幹部と力をあわせて中央委員会を構成するという立場で、現中央委員会の責任で新しい中央役員候補者を推薦し、党大会に提案したいと考えております。

この党大会が、活発な討論をつうじて、これらの任務を立派に果たし、新しい情勢のもとで、私たちの事業の前進と躍進をかちとるために、実り豊かな成果を生みだすことを心から願って、開会のあいさつを終わります。（拍手）

（「しんぶん赤旗」２０１４年1月16日付）

日本共産党第26回大会決議

1月18日採択

第1章　「自共対決」時代の本格的な始まりと日本共産党

（1）「自共対決」時代の本格的な始まり

民主党の裏切りへの国民の失望と怒りの高まりのなか、2012年12月の衆議院選挙で、自民・公明政権が復活した。

2013年7月の参議院選挙では、自公政権が参院でも多数を握る一方、野党のなかで日本共産党がただ一つ躍進を果たした。日本共産党の躍進は、1961年に綱領路線を確立して以来、1960年代終わりから70年代にかけての〝第1の躍進〟、90年代後半の〝第2の躍進〟に続く、〝第3の躍進〟の始まりという歴史的意義をもつものとなった。

日本の情勢は、「自共対決」時代の本格的な始まりというべき新たな時期を迎えている。

（2）これまでにない新しい特徴はどこにあるか

日本の戦後政治の底流にはつねに「自共対決」が存在し、これまでもたびたび「自共対決」が政治の前面にあらわれたことがあったが、この間の総選挙と参院選を通じてつくりだされた「自共対決」の政治構図には、これまでにない新しい特徴がある。

①自民党と共産党との間の「受け皿政党」が消滅した

自民党と日本共産党との間の自民党批判票の「受け皿政党」が消滅した。「二大政党づくり」の動きが破たんし、「第三極」の動きがすたれつつあるもとで、日本共産党は自民党への批判を託せる唯一の党となっている。

こうした政党地図は、戦後日本の政治史でも、かつてなかったものである。1960年代終わりから70年代、90年代後半に日本共産党が躍進した時期にも「自共対決」ということがいわれたが、この時期には、自民党と日本共産党との間に自民党批判票の「受け皿政党」が存在していた。支配勢力は、その後、それらの政党を反共的に再編し、日本共産党抑え込みのシフトをつくりあげていった。しかし今回は、そうした中間的な「受け皿政党」が存在しない。「自共対決」という政党地図が、かつてない鮮やかさをもって、浮き彫りになっている。

②社会の土台では、「二つの異常」を特徴とする政治が崩壊的危機に

政治の表層では、自民党とその補完勢力が多数を握っているが、社会の土台においては、「二つの異常」――「アメリカいいなり政治の異常」「極端な大企業中心主義の異常」を特質とした自民党政治が、行き詰まりを深刻にし、崩壊的危機におちいっている。

「異常な財界中心」の政治を続けてきた結果、日本は、働く人の所得が減り続け、経済全体が停滞・縮小する国となり、国内総生産比での長期債務残高が先進国で最も高い水準の国に落ち込んでいる。

「異常な対米従属」の政治によって、米軍基地問題の矛盾が限界点をこえるとともに、TPP（環太平洋連携協定）問題にみられるように日本の経済主権・食料主権が根底から破壊される危機に直面している。

日本社会は、60年余続いた自民党型政治の総決算が求められる時期を迎えている。安倍政権は、自民党政治の深刻な危機の反動的打開を求めて、あらゆる分野で暴走を開始しているが、それは自民党政治の行き詰まり、国民との矛盾をいっそう激化させるものである。古い自民党型政治の継続か、その抜本的転換か――あらゆる分野で二つの道の対決が、こんなに鋭く問われているときはない。

③「一点共闘」がさまざまな分野で広がる画期的動きが生まれている

「二つの異常」と国民との矛盾の激化のもとで、一致する要求・課題で共同する「一点共闘」がさまざまな分野で広がり、これまでにない広範な人々が立ち上がり、この共同の輪のなかで日本共産党が重要な役割を果たすという、画期的動きが生まれている。

どの「一点共闘」も、その掲げている要求を本気で解決しようとすれば、「二つの異常」を特徴とする自民党政治の根本の枠組みにつきあたらざるをえないという性格を、本質的に持っている。

政治の表層では、自民党とその補完勢力が多数でも、社会の土台においては、国民の多数派と日本共産党が共同するという動きが力づよく発展している。

(3) 日本共産党の不屈の奮闘がこの時代を切り開いた

「自共対決」の時代を切り開いた根底には、日本共産党の不屈の奮闘があった。2003年に本格的に始まった「自民か、民主か」という「二大政党による政権選択論」の大キャンペーンは、わが党排除の猛烈な逆風をもたらした。この反共作戦によって、わが党は、国政選挙で繰り返しの後退・停滞を強いられたが、選挙のたびに、そこから冷静に教訓を引き出し、次のたたかいに挑んだ。この不屈のたたかいの積み重ねが、「二大政党づくり」を破たんに追い込み、日本政治の新しい時代を開いた。

わが党の不屈のたたかいを支えたものは何だったか。

第一は、2004年の第23回党大会で新しい綱領を決定したことである。綱領は、表面のあれこれの動きに左右されずに、情勢を根底からとらえる羅針盤となった。また綱領が、日本の民主的改革の内容を21項目にわたって具体的に明らかにしたことは、わが党の政策活動の発展にゆるぎない土台をあたえるものとなった。それは、消費税に頼らない別の道を示した「経済提言」、国民の所得を増やして景気回復をはかる道を示した「賃上げ・雇用アピール」、原発をすみやかになくし再生可能エネルギーへの転換の道を示した「即時原発ゼロ提言」、日米安保条約をなくしたらどういう展望が開かれるかを示した「外交ビジョン」、領土問題での見解など、一連の政策提起の発展となって実をむすんだ。

第二は、どんな情勢のもとでも、「国民の苦難の軽減」という立党の精神を発揮して、頑張りぬいたことである。「二大政党づくり」の動きは、反共作戦であるとともに、国民の暮らし・平和・民主主義を破壊する反国民作戦でもあった。自民党と民主党が競い合って弱肉強食の「構造改革」路線を進めるもとで、国民生活のあらゆる分野での状態悪化、貧困と格差が深刻になったが、日本共産党は、全国どこでも草の根から国民の苦難軽減、国民要求の実現に献身してきた。東日本大震災にさいしても、わが党は、立党の精神に立った大奮闘をおこない、被災者の方々の信頼を高めた。

第三は、自前の組織と財政をつくり支えるために、うまずたゆまず努力を続けてきたことである。いま、日本共産党に対して「スジを通す党」という高い評価が寄せられるが、それができるのは、日本の前途を開く綱領を持つ党であるとともに、草の根で国民と結びつき、自前の組織と財政をもっている党だからである。それは、国民の中に根をもたず、風まかせ、政党助成金だのみで、党を作ったり壊したりを繰り返す諸党との対比で、きわだったものである。

(4) この情勢に日本共産党はどういう政治姿勢でのぞむか

この情勢のもとで、日本共産党は、つぎの三つの姿勢を堅持して奮闘する。

「対決」――わが党は、自民党安倍政権の危険な暴走と真正面から対決して、国民の利益のためにたたかう。今日の政党状況のもとで、この仕事を担える党は日本共産党しかない。自民党政権の危険な暴走を止めてほしいというのは、躍進した日本共産党への国民の期待である。その責任と期待を自覚して奮闘する。

「対案」――わが党は、日本の前途を開く綱領を持つ変革者の党として、経済、エネルギー、外交をはじめ、どの分野でも、自民党政治の行き詰まりを打開する建設的対案を国民に示し、展望を明らかにする。「二つの異常」を特徴とする古い政治のゆがみを断ち切る改革にとりくんでこそ、希望のもてる未来が開かれることを、太く明らかにしていく。参院選でかちとった議案提案権を活用していく。

「共同」――安倍政権の暴走の一歩一歩は、国民との矛盾を広げ、国民のたたかいを呼び起こさざるをえない。わが党は、一致する切実な要求にもとづく「一点共闘」をあらゆる分野で発展させ、日本の政治を変える統一戦線をつくりあげるために奮闘する。

日本共産党は、これらの三つの政治姿勢を、一体的に堅持して奮闘する。抜本的な「対案」を持つ党でこそ、真正面からの「対決」を貫くことができる。「対決」にしても、「対案」にしても、国民多数のたたかいとの「共同」という努力によってこそ、現実政治を動かす力を発揮することができる。

第2章　世界の動きをどうとらえ、どう働きかけるか

（5）「世界の構造変化」が生きた力を発揮しだした

20世紀におこった世界の最大の変化は、植民地体制が完全に崩壊し、民族自決権が公認の世界的な原理となり、１００を超える国ぐにが新たに政治的独立をかちとって主権国家になったことにあった。これは、まさに「世界の構造変化」と呼ぶにふさわしい巨大な変化だが、今日の世界の特徴は、この構造変化が、世界の平和と社会進歩を促進する力として、生きた力を発揮しだしたところにある。

一握りの大国が世界政治をもっぱら動かした大国中心の時代は終わり、国の大小での序列がない世界になりつつある。世界のすべての国ぐにが、対等・平等の資格で、世界政治の主人公になる新しい時代が開かれつつある。わが党は、日本の平和団体とともに、２０１０年ＮＰＴ（核不拡散条約）再検討会議に参加したが、この国際会議のなかでも途上国と新興国の代表が、全体会議の議長や第1委員会委員長（核軍縮）、国連軍縮問題担当上級代表など、会議を運営する要の職につき、実に生き生きと文字通り主役を演じていた。

「国連憲章にもとづく平和の国際秩序」

をめざす流れが発展しつつある。10年前の2003年、米国など一部の諸国は、国連安保理事会の決議もないまま、無法なイラク戦争に突入した。しかし、2013年、米国などが行おうとしたシリアへの軍事介入は、国際世論の包囲によって阻止され、問題は国連にゆだねられ、国連安保理は、シリアに化学兵器廃棄を義務づけ、外交的解決に道を開く決議を全会一致で採択した。前途には紆余《うよ》曲折がありうるが、これは国連事務総長がのべたように、「歴史的」な決議といえる。これは、どんな大国といえども、簡単には国連憲章を踏みにじった軍事力行使はできなくなっているという、現在の国際政治の姿を示すものとなった。

世界の経済秩序という点でも、1975年に始まった「先進国サミット」——当初は「G6」、「G7」をへて「G8」——という枠組みでは、世界的な諸問題に対処できなくなり、2008年の世界経済危機をへて、「G8」は新興国・途上国を含めた「G20」に席を譲った。さらに、「G20」の限界も指摘されるようになり、国連加盟国すべてが参加する「G192」も提唱された。経済協力開発機構（OECD）報告書「富の移動」や国連開発計画（UNDP）報告書「南の台頭」などが示すように、新興国・途上国は、世界のGDPに占める割合を年ごとに高め、経済的な力関係が大きく変わりつつある。一部の発達した資本主義国が世界経済を牛耳っていた時代はもはや過去のものとなった。

（6）アメリカをどうとらえるか——党綱領の立場を踏まえて

わが党は、第24回党大会・第25回党大会の決定で、党綱領の立場を踏まえて、アメリカの動向に複眼で分析を加えてきた。すなわち、軍事的覇権主義に固執しつつ、国際問題を外交交渉によって解決する動きが起こっているという、二つの側面でアメリカの動向をとらえてきた。この見地は、今日のアメリカをとらえるうえで、ますます重要である。

①軍事的覇権主義への固執、外交交渉による対応

この4年間の米国・オバマ政権の世界戦略の展開は、アメリカの国際的影響力の相対的低下傾向をともないながら、前回党大会が指摘した二つの側面が継続していることを示している。すなわち、オバマ政権は、歴代米国政権の基本路線である軍事的覇権主義の立場を継承・固執しつつ、多国間・2国間の外交交渉による問題解決に一定の比重をおくという世界戦略をとっている。

米軍による無人機を多用した他国領土内での攻撃作戦が、重大な国際問題になっている。2013年9月に、国連が初めて発表した調査報告書は、アフガニスタン、パキスタン、イエメンなどでの米軍の無人機攻撃の実態を明らかにしている。なかでもパキスタンにおいては、04年以降、少なくとも330回の攻撃があり、死者総数2200人以上、うち600人以上が市民と非戦闘員であった可能性があるとしている。また、米軍特殊部隊がパキスタン領内で、国際テロ組織アルカイダの指導者ビンラディンを急襲・殺害したような局地的な軍事作戦を展開している。オバマ大統領は、「われわれが指導性を担ってこそ世界はよりよい場所になる」と宣言したが、軍事的覇権主義への固執は根深いものがある。

その一方で、オバマ政権は、2011年12月にはイラク戦争の終結を宣言し、イラク駐留米軍は撤退した。アフガニスタンでも2014年末までの米軍戦闘部隊の撤退を言明している。2011年のリビア軍事介入の際には、主役をイギリス・フランス軍にゆだねたうえで空爆を行ったが、最近のシリア問題では国連安保理を通じた外交解決の方向を選択した。北朝鮮の核問題に続いて、イランの核問題も、外交交渉による解決を現実的な選択肢とする方向へとかじを切った。

②アジア・太平洋重視の戦略的「リバランス」(再配置)について

軍事的覇権主義と外交戦略の二つの手段による対応という特徴は、アジア・太平洋地域を重視する戦略的「リバランス」(再配置)にもあらわれている。

アメリカは、この地域における戦略でも、日米、米韓、米豪など軍事同盟の強化を第一の戦略においている。米国の軍事的プレゼンス(存在)が、この地域での影響力を維持・強化していくうえで絶対不可欠という戦略には変わりはない。

同時に、大きく台頭しつつある中国、平和の地域共同体を形成している東南アジア諸国連合(ASEAN)などに対しては、外交的関与によって米国の影響力を強めることを、基本戦略においている。中国に対してアメリカがとっている政策は、旧ソ連に対してのような「封じ込め」ではない。2013年6月の米中首脳会談では、「競争と協力」の側面を含む「大国間の新しいモデル」の構築という方向で関係を発展させることが確認された。

(7)平和の地域共同体の前進と発展――東南アジア、中南米の動きについて

「国連憲章にもとづく平和の国際秩序」の担い手として、世界各地で平和の地域共同体が形成・発展しつつあることは、注目すべきである。

①東南アジアで発展している注目すべき平和の流れ

東南アジアの国ぐには、米国中心の軍事同盟(東南アジア条約機構＝SEATO)が解体するもとで、ASEANの発展に力を注いできた。

ASEANは、東南アジア友好協力条約(TAC)、ASEAN地域フォーラム(ARF)、東アジアサミット(EAS)、東南アジア非核地帯条約、南シナ海行動宣言(DOC)など、重層的な平和と安全保障の枠組みをつくりあげ、それを域外にも広げてきた。それは、世界とアジアの平和の一大源泉となっている。

1976年に締結されたTACは、武力行使の放棄と紛争の平和解決などを掲げ、ASEAN域内諸国の関係を律する平和のルールとしてつくられたが、87年以降は、これを国際条約として域外に広げ、すでにTACは、ユーラシア大陸のほぼ全域とアメリカ大陸にまで及ぶ57カ国に広がり、世界人口の72％が参加する巨大な流れに成長している。

これらの全体を貫いている考え方は、次のような点にある。

――軍事ブロックのように外部に仮想敵を設けず、地域のすべての国を迎え入れるとともに、アジアと世界に開かれた、平和の地域共同体となっている。

――軍事的手段、軍事的抑止力にもっぱら依存した安全保障という考え方から脱却し、対話と信頼醸成、紛争の平和的解決など、平和的アプローチで安全保障を追求する、「平和的安全保障」というべき新しい考え方に立っている。

――政治・社会体制の違い、経済的な発展段階の違い、文明の違いを、互いに尊重しあい、「多様性のもとで共同の発展をはかる」という考え方を貫いている。

東南アジア域内を見ても、数多くの紛争問題は存在する。米国がこの地域での影響力を強めようとする動きがあり、他方で、中国も影響力を拡大しようとしている。

しかし、そのもとでも、ＡＳＥＡＮの国ぐには、どんな大国の支配権も認めない自主的なまとまりをつくるとともに、年間１０００回を超えるという徹底した対話によって、「紛争を戦争にしない」――「紛争の平和的解決」を実践している。そしてこの平和の流れをアジア・太平洋の全体に、さらに世界へと広げようとしている。この取り組みは、私たちが学ぶべき豊かな教訓を含む、未来あるものである。

②中南米カリブ海に生まれた平和の地域共同の新たな機構

中南米カリブ海地域では、２０１０年、中南米カリブ海の33の諸国のすべてが参加した統一首脳会議で、中南米カリブ海諸国共同体（ＣＥＬＡＣ）の設立が宣言され、3年間のさまざまな準備と手続きの後、２０１３年1月に第1回首脳会議が開かれた。

２０１０年の首脳会議では、国際法の尊重、主権の平等、武力および武力による威嚇の不行使、地域の平和と安全保障を推進する恒常的対話などの原則とともに、連帯、社会的包含、補完性、自発的発展などを基礎に活動することが確認された。

さらに、２０１３年の第1回首脳会議では、各国の主権や多元性をふまえ、段階的に地域統合をすすめていく方向が強調された。

ＣＥＬＡＣが、設立時に「核兵器全面廃絶に関する特別声明」を採択し、それを第1回首脳会議であらためて確認するなど、地球的規模での平和のイニシアチブを発揮していることも注目される。

他方、２０１２年、エクアドル、ニカラグア、ベネズエラ、ボリビアの4カ国が「米州相互援助条約（リオ条約）」からの脱退を宣言した。米国の中南米カリブ海地域への軍事干渉、侵略の口実とされてきた軍事同盟＝「リオ条約」は、２００４年のメキシコの脱退によって事実上の機能不全となっていたが、文字通りの消滅に向かっている。

ラテンアメリカでの動きは、ＡＳＥＡＮで形成されている平和の地域共同体が、世界的に普遍性をもつことを示すものである。

(8)「核兵器のない世界」をめざすたたかい

前大会決議は、「核兵器のない世界」を現実のものとするうえでの「核心」をなす問題として、①核兵器廃絶のための国際交渉をすみやかに開始すること、②「核抑止力」論から脱却すること――この二つを提起した。前大会からの4年間に、この提起の的確さがいっそう明瞭になるとともに、これらを国際政治の現実の課題として位置づけるうえで重要な前進があった。

核兵器の全面禁止と廃絶を義務づける核兵器禁止条約が焦点となり、「核兵器禁止条約の交渉開始」が現実の課題として提起されるようになった。

２０１０年のＮＰＴ再検討会議は、「核兵器のない世界」を実現するために、「必要な枠組みを確立する特別な取り組みをおこなう」ことを確認した。これは「陰に隠れていた核兵器（禁止）条約を明るみに出して焦点をあてたもの」（カバクチュランＮＰＴ再検討会議議長）だった。

第68回国連総会第1委員会（２０１３年）が、マレーシアなどが提案した核兵器禁止条約の交渉開始を求める決議とともに、非同盟諸国が新たに提案した核兵器を禁止し廃絶するための包括的な条約についての交渉を緊急に開始することをよびかける決議を、3分の2をこえる圧倒的多数で採択したことも重要である。

二つの新たな動きが注目される。

一つは、２０１３年10月、国連総会第1委員会で発表された「核兵器の人道上の影響に関する共同声明」である。１２５カ国の連名で発表された「声明」は、核兵器が「無差別的な破壊力」によって「人道的に受け入れがたい結果」をもたらすことを指摘し、「いかなる状況の下でも決してふたたび使われないことが人類の生存にとって利益」であるとし、それを「保証する唯一の道は、その全面廃絶である」と訴えている。被爆者を先頭に日本の反核運動が当初から一貫して訴えてきた核兵器の非人道性、残虐性に、国際社会があらためて注目し、「いかなる状況の下でも」その使用に反対し、廃絶を求める「声明」が採択されたことは、「核兵器のない世界」にむけた積極的な動きである。

いま一つは、シリアの化学兵器全廃に向けた動きを踏まえて、核兵器の違法化と禁止条約を求める声がいっそう高まっていることである。化学兵器禁止条約（１９９３年調印、97年発効）は、今回新たに加わったシリアを含め１９０カ国という圧倒的多数の国ぐにが参加している。今回のシリアをめぐる一連の動きのなかで、化学兵器の全面禁止・廃絶は実現できるのに、なぜ究極の破壊的・非人道的兵器である核兵器の廃絶はできないのかという声が高まっているが、これは強い説得力をもつものである。

日本共産党は、被爆70周年の２０１５年に開かれるＮＰＴ再検討会議で、「核兵器禁止条約の交渉開始」が国際社会の合意となるよう、世界と日本の反核運動と連帯し、被爆国の政党として力をつくす。

（9）民主的な国際経済秩序を確立するためのたたかい

世界の構造変化、新興国・途上国の力の増大のもとで、発達した資本主義国だけでは国際経済を律することができなくなる時代が到来している。世界の構造変化に対応した新しい民主的な国際経済秩序が切実に求められている。

いま何よりも重要なのは、「アメリカ型のルール」など特定の経済システムを押し付けるのではなく、各国の社会体制の違い、発展段階の違い、経済社会の実情の違いを、相互に尊重し、各国の経済主権の尊重にたった、対等・平等・互恵の国際経済秩序を築くことである。こうした方向は、世界政治のなかで現実の課題にのぼってきている。２００９年9月のG20サミット（ピッツバーグ・サミット）の「宣言」で、

「経済発展及び繁栄には異なるアプローチがあること、また、これらの目標に到達するための戦略は、各国の状況により異なり得る」ことが明記されたことは重要である。

とくに次の諸点で、国際経済における民主的ルールを確立し、多国籍化した大企業への民主的規制を行うことが緊急に重要となっている。

――投機マネーの横暴をやめさせるルール。投機マネーによるマネーゲームが、実体経済に大きな打撃を与えるとともに、原油や穀物の高騰など各国国民の暮らしを圧迫している。この間、G20では、リーマン・ショックを受けて、各種の金融規制が検討され一部実施されている。さらにEU11カ国が「金融取引税」の導入で合意した。こうした動きを国際的にも広げていく必要がある。

――多国籍企業による「課税逃れ」をやめさせるルール。G20でも、この問題は「かつてないほどの優先課題」と位置づけられ、「多国籍企業が低税率の国・地域に利益を人為的に移転することによって支払う税の総額を削減することを国際的な及び自国の課税ルールが許容または奨励しないようにすることを要請する」と言及された。

――法人税の引き下げ競争をやめさせるルール。この間、世界各国で法人税の引き下げ競争が続き、各国の政府の財源が枯渇し、債務が膨れ上がる。「多国籍企業栄えて国滅ぶ」という深刻な事態が生まれている。「法人税を下げて企業が元気になれば国の経済が豊かになり、税収も増える」という「神話」は、もはや通用しないことが事実で証明された。この問題については、OECDが「有害な税の競争」と繰り返し警鐘を鳴らしてきたが、２０１０年のG20でも是正の必要性が提起され、２０１１年のEU首脳会議では、ドイツとフランスが「法人税の最低税率の導入」を共同で提案した。法人税の引き下げ競争をやめさせ、国際協調によって下げ過ぎた法人課税の引き上げをはかることは、急務となっている。

――国際的な人件費引き下げ競争をやめさせるルール。グローバル競争の激化のもとでの国際的な「人件費引き下げ競争」が、それぞれの国民経済とともに国際経済のまともな成長の基盤を破壊している。雇用の分野でも「底辺への競争」が行われれば、成長力の源泉である労働者が世界中で「使い捨て」にされ、結局は産業界の力も失われる。２０１３年９月のG20サミット（サンクトペテルブルク・サミット）の宣言が、「質の高い雇用を通じた成長」を課題にかかげ、「生産的でより質の高い雇用を創出することは、強固で持続可能かつ均衡ある成長、貧困削減および社会的一体性の向上をめざす各国の政策の核である」とのべ、「非正規雇用を減少させるため」の効果的な対策を呼びかけていることは注目される。国際的なルールを強化し、人件費引き下げ競争をやめさせることも、重要な課題である。

(10) 地球温暖化対策の取り組みの到達点と今後の課題

国連の「気候変動に関する政府間パネル」（IPCC）は、２０１３年９月、第5次評価報告書の一部として、地球温暖化についての世界の科学者の知見をとりまとめた第1作業部会の新たな報告書を発表した。この報告書では、このままでは、今世紀末までに気温上昇は最大で４・８度、海面上昇は82センチメートルと予測されている。世界各国は、２０１０年に、気温上昇を産業革命前と比べて2度以下に抑えるという目標を確認しており、これを超えると生態系と人間の生存条件に深刻な影響をおよぼす恐れが生じるとされている。今回の報告は、温暖化の抑制が、人類にとっていよいよ差し迫った課題になっていることを示している。日本国内でも、最高気温の更新、経験したことのない豪雨の多発、台風の猛威など、温暖化の進行を背景とした現象が起きていることは、重大である。

京都議定書が定めた温室効果ガス削減の第1約束期間（08～12年）が最終期限を迎えるなか、国際社会は、２０１１年のダーバン会議（ＣＯＰ17）、12年のドーハ会議（ＣＯＰ18）などを通じて、①２０１３～20年について京都議定書の第2約束期間を設ける、②２０２０年からは気候変動枠組み条約の下での新しい枠組みを設けることにし、その具体的内容について２０１５年までに合意することを確認した。また先進国による途上国支援について、２０２０年までに毎年１０００億ドルの拠出を行うことが位置づけられた。

しかし、第2約束期間については、京都議定書に未加盟の米国、カナダに加えて、日本、ロシア、ニュージーランドが第2約束期間から離脱するなど、世界全体の排出量の4分の1強を占める主要排出国が削減義務に参加していない。

さらに、２０２０年からの新しい枠組みについては、この枠組みが先進国・途上国を含め「すべての締約国に適用」されることで合意され、途上国も一定の削減義務を負う見通しとなったが、その具体的内容については、先進国と途上国が依然として対立し、新たなコンセンサスをつくるにいたっていない。

２０１３年11月のワルシャワ会議（ＣＯＰ19）では、「最低限の合意」として、途上国を含むすべての国が、２０１５年3月までに国別貢献（目標）案を提出することを決め、同年11月のパリ会議（ＣＯＰ21）までに新たなコンセンサスを作るための交渉が続けられることになった。

――温暖化に歴史的責任を負っている先進国は、「共通だが差異ある責任」の原則に立って、①意欲的な削減目標を自らの責任として追求するとともに、②途上国にたいして、温室効果ガスを大量排出しながら経済発展をすすめてきた先進国とは異なる経済発展の道があることを示し、それにふさわしい技術・資金援助を行うという「二重の責任」を果たすことが、引き続き強く求められる。

――途上国の「発展の権利」を当然保障しながらも、中国が最大の排出国として世界全体の温室効果ガスの4分の1を占め、インドも５・４％を占めるなど、新興国が主要排出国として登場している現状を踏まえれば、途上国としても国際的な拘束力のある枠組みに積極的にくわわることが期待される。

――日本政府は、福島原発の大事故で、火力発電の拡大が不可避になったとして、２０２０年までに90年比25％削減としていた目標を撤回し、さらに、２０２０年までに、「暫定的」に05年比で３・８％減の目標、すなわち90年比では約3％増という「増加目標」をＣＯＰ19で表明した。これは世界第5位の大量排出国としての責任を投げ捨てる態度である。イギリス、ＥＵ、途上国など多くの国ぐにから「失望した」「逆行するもの」「著しい後退」など厳しい非難が集中した。火力発電所の拡大は緊急避難的にはやむをえないとしても、根本の原因は、日本政府が原発だのみのエネルギー政策を推進し、再生可能エネルギーの普及や低エネルギー社会への取り組みに本腰を入れてこなかったことにある。「即時原発ゼロ」の政治決断を行い、再生可能エネルギーの急速で大幅な導入へ抜本的に転換することで、温室効果ガスの削減についても、意欲的な削減目標を掲げ、積極的な責任を果たすという立場をとるべきである。そのさい、「大量生産、大量消費、大量廃棄」、長時間労働、「24時間型社会」などのエネルギー浪費社会の抜本的な見直しを行うことも、重要である。

(11) 日本共産党の野党外交の発展について

日本共産党の野党外交は、前大会後の4年間にいっそう多面的に展開された。

東アジア、南アジア、中央アジア、中東、ラテンアメリカ、ヨーロッパ、イスラム諸国などとの交流がさらに発展した。２０１０年4月～5月に米国訪問を行い、日本の平和団体の代表とともにNPT再検討会議に参加し、「核兵器廃絶のための国際交渉の開始」を各国代表団に要請するなど、この国際会議が成果をおさめるために力をつくした。米国政府に沖縄基地問題でのわが党の立場を伝える活動も行った。この間、わが党と韓国の政府、政党、各界との関係が豊かに発展したことも重要である。

第6回アジア政党国際会議（10年12月、カンボジア・プノンペン）、第7回同会議（12年11月、アゼルバイジャン・バクー）のほか、多彩な内容をもつ関連会議に精力的に参加し、会議の成功に貢献するとともに、アジアの諸政党との交流を深めた。非同盟運動の第16回首脳会議（12年8月、イラン・テヘラン）、外相会議（11年5月、インドネシア・ヌサドゥア）にオブザーバーとして参加した。

野党外交のなかで、わが党は、党綱領にもとづいて、「国連憲章にもとづく平和の国際秩序」、「核兵器のない世界」、「侵略戦争と植民地支配の反省を踏まえての真の友好関係」、「各国の経済主権の尊重のうえに立った民主的な国際経済秩序」、「異なる諸文明の対話と共存の関係の確立」などの立場を貫いて活動した。とくにこの間、核兵器廃絶など国際政治の熱い焦点の問題で、わが党が国際的道理に立った外交活動にとりくみ、世界の平和と社会進歩に貢献してきたことは重要である。私たちは、野党外交を通じて、綱領が掲げた国際連帯の課題が、世界のどこでも通じる普遍的意義をもつことを強く実感してきた。野党外交は、大きく変わりつつある世界にたいする私たちの認識をより豊かなものにするうえでも大きな意義をもつものとなっている。

わが党は、野党外交をさらに発展させるために力をつくす。

第3章　自民党政権の反動的暴走と対決し、新しい日本をめざす

(12) 安倍自民党政権の危険な暴走、それがはらむもろさと矛盾

安倍自公政権は、衆参両院で多数を握っているが、政治的には決して盤石ではない。この内閣の基盤はきわめてもろく、深刻な矛盾をはらんでいる。

①暴走の具体化の一歩一歩で、矛盾と自己破たんに直面している

消費税大増税、社会保障切り捨て、原発推進、集団的自衛権行使容認、秘密保護法強行など、安倍政権の暴走の具体化の一歩一歩が、多数の民意に逆らうものであり、国民とのあいだでの矛盾を深めつつある。

わけても、それぞれの暴走が、支配勢力なりの説明もつかなくなるという政治的自己破たんに直面していることは、重要な特徴である。

消費税大増税と一体の大企業へのバラマキ政治は、「社会保障のため」「財政再建のため」という従来の増税合理化論を自ら壊す結果となっている。口では労働者の「賃上げ」の必要性を認めながら、現実にやっていることは労働法制の規制緩和による「賃下げ政策」の推進である。TPP推進も、「守るべきものを守る」という自らの公約を根底から否定する方向への暴走である。集団的自衛権の行使容認は、戦後、半世紀にわたって自民党政権が積み上げてきた憲法解釈を自ら否定するものとなる。

②歴史逆行・復古的な政治姿勢が、大きな矛盾をひきおこしている

過去の侵略戦争と植民地支配の肯定・美化、「自民党改憲案」にみられる戦前に回帰するような基本的人権の否定、近代の社会保障理念を否定し、19世紀に逆戻りするような「自己責任」・「家族責任」論など、安倍政権の歴史逆行・復古的な政治姿勢は、国内はもとより、国際的にも、大きな矛盾をひきおこしている。

とりわけ、安倍首相の靖国参拝に示される侵略戦争を肯定する歴史観・行動は、第2次世界大戦後の国際政治の土台を覆すものであり、国際的に容認されるものではない。それは、中国、韓国などとの深刻な外交的行き詰まりの根源となっているだけでなく、彼らが最大のよりどころとしている

アメリカからも批判が起き、アメリカのアジア戦略とも軋轢《あつれき》を生むようになっている。

③自らの暴政が、組織的な大後退、空洞化をもたらしている

安倍自民党政権の脆弱《ぜいじゃく》さは、従来の自民党が持っていた「国民的基盤」を大きく失っていることにもあらわれている。自民党の党員数は、５４７万人（１９９１年）から79万人（２０１２年）に激減した。ＴＰＰ推進、消費税大増税、社会保障の連続改悪、あらゆる分野での「構造改革」路線の推進などで、業界・団体の支持を失い、業界や地域の有力者が離れていった結果である。自らの暴政が、自民党の組織的な大後退、空洞化をもたらしている。そして、自民党から離れた人々が、さまざまな課題で「一点共闘」でわが党と共同するという、大変動が起こりつつあるのである。

安倍政権の暴走は、危険きわまりないものであるが、恐れる必要はない。この暴走の先に未来はない。この暴走が、早晩、深刻な政治的激動、政治的危機を引き起こすことは、疑いないことである。

日本共産党は、安倍政権の暴走と正面から対決し、あらゆる分野で対案を示し、国民との共同を広げ、奮闘するものである。

(13) 東日本大震災からの復興を最優先課題に

未曽有の大災害となった東日本大震災から3年近くが経過し、被災地では懸命の努力が重ねられているが、いまだに被災者の9割が仮設住宅など避難生活から抜け出せず、長期化とともに先の見通しがもてずにいる。医療・介護など被災者支援の無慈悲な打ち切り、しゃくし定規な制度のしばり、「復興」に名を借りた大型開発や規制緩和など、国の姿勢が復興の妨げになっている。

この間、被災者・国民の運動で、住宅再建への最大３００万円の支援制度や、被災事業者を支援するグループ補助などの成果も生まれている。日本共産党は、3次にわたって復興にむけた「提言」を提起し、被災者支援に党としてもとりくむなど、力をつくしてきた。何よりも、被災者の生活と生業《なりわい》、地域社会が再建され、被災者が自力で歩きだせるまで、国が支援を行うことを要求する。「個人財産の形成になる」といって、住宅、商店、工場、医療機関などの復旧を支援しないという旧来の災害対策の「原則」を取り払い、住宅と生業の再建に必要な公的支援を行うことを、復興の基本原則にすえることを求める。福島県では、多くの人々が原発事故で暮らしの基盤を奪われ、14万人近い人々が先の見えない避難生活を強いられ、震災関連死は１６００人を超えた。国の責任で、全面賠償と、命・健康・暮らし・環境を守る対策を徹底することを求める。国政上の最優先課題として、東日本大震災の復興にとりくむ。それは国民の苦難軽減という立党の精神にたったたたかいであるとともに、日本の政治のゆがみをただす事業としても重要である。

阪神・淡路大震災の被災者を、借り上げ復興公営住宅から追い出すことを許さないたたかいなど、各地の被災者の運動と連帯して奮闘する。

(14) 暮らしと経済――大企業応援から暮らし応援の政治への抜本的転換を

安倍政権が「アベノミクス」の名ですすめている経済政策は、新しいものではない。「大企業を応援し、大企業がもうけをあげれば、いずれは雇用、賃金、家計にまわってくる」という、古い破たんした「トリクルダウン」の理論――〝おこぼれ経済学〟にほかならない。これが、日本経済に「好循環」をもたらすどころか、衰退の「悪循環」しかもたらさなかったことは、すでに事実が証明している。日本共産党は、この逆立ちした経済政策と正面からたたかい、国民の暮らしを直接応援して、日本経済の危機を打開し、健全な成長への好循環をつくるために奮闘する。

①働く人の所得を増やす経済改革で経済危機を打開する

第一の柱は、働く人の所得を増やす経済改革――賃上げと安定した雇用の拡大によって経済危機を打開することである。

日本共産党は、前大会決定で、「大企業が蓄積した過度の内部留保を雇用や中小企業、社会に還元せよ」という提起を行った。この主張は、当初、日本共産党や自覚的な民主勢力に限られていたが、いまや大きな国民世論となっている。賃上げで国民の所得が増えなければ不況は打開できないことは、政府も、財界ですら、否定することができなくなっている。「内部留保の活用で賃上げを」という主張も、否定することができなくなっている。これは、わが党の主張が道理にかなったものであり、日本経済の危機を打開する唯一の道であることを、証明するものにほかならない。

ところが、安倍政権がやろうとしていることは、派遣労働の無制限の拡大、解雇の自由化、「サービス残業」の合法化など、不安定雇用と長時間労働をいっそうひどくする「賃下げ政策」である。賃上げの必要性を認めながら、現実にすすめているのは、大企業の目先の利益優先で、「賃下げ政策」を次々に繰り出す。行き詰まりと自己破たんは深刻である。

日本共産党は、「賃上げで不況打開を」を、労働者・国民の連帯したたたかいによって、国民世論から現実のものとするために、全力をあげる。

――政府として経済界に「内部留保の活用で賃上げを」と正面から提起することを求める。賃金を決めるのは労使の交渉だが、政府として経済界に内部留保の活用を正面から提起し、賃上げの実行を迫ることは、賃上げの世論を広げる大きな力となる。

――雇用のルールを強化し、非正規社員の正社員化をはかり、人間らしい雇用を保障する。派遣労働の無制限の拡大をはじめ、雇用のルール破壊にきびしく反対する。労働者派遣法の抜本改正、均等待遇のルールの確立によって、正社員化の流れを促進する。ブラック企業を規制し、異常な長時間労働をただし、無法なリストラ・解雇を規制するルールをつくる。

――政府自身が直接に行える賃上げ政策――最低賃金の大幅な引き上げ、公契約法・条例の制定をすすめる。公務員賃金引き下げ政策を中止する。法人税減税が賃上げにつながるというのは、何の保障もない。賃上げのための財政支出というなら、最賃引き上げのための中小企業への賃金助成や社会保険料減免などの支援が最も効果的である。

②消費税大増税に反対し、税財政と経済の民主的改革で財源をまかなう

第二の柱は、消費税大増税に反対し、税財政と経済の民主的改革によって、社会保障充実と財政危機打開をはかることである。

2014年4月からの消費税大増税は、税率を8％に引き上げるだけでも8兆円の増税、年金削減など社会保障の負担増・給付減を合わせれば10兆円もの、文字通り史上空前の負担増である。政府は、「経済再生と財政再建の両立をはかる」というが、これが強行されれば、国民の暮らしと中小企業の経営にはかりしれない深刻な打撃をもたらし、経済も財政も共倒れの破たんに追い込まれることは明らかである。

――消費税に対する立場の違いを超えて、「4月からの消費税増税の中止」の一点で、国民的共同を広げ、増税の実施を阻止するために奮闘する。

――日本共産党は「経済提言」で、「消費税に頼らない別の道」を提唱している。①大型開発や軍拡などの浪費の一掃と「応能負担」の原則に立った税制改革で財源を確保する、②国民の所得を増やす経済改革で日本経済を健全な成長の軌道にのせ税収増をはかる――この二つの柱を同時並行ですすめ、社会保障充実と財政危機打開の道を開こうというものである。この道こそが、現在の経済、財政、社会保障の危機を一体的に打開する唯一の道である。

③社会保障の解体攻撃とたたかい、社会保障再生、拡充をはかる

第三の柱は、安倍政権がすすめる社会保障の解体攻撃とたたかい、社会保障の再生、拡充をはかっていくことである。

安倍政権がすすめる「社会保障制度改革」は、「制度改革」の基本を「国民の自助・自立のための環境整備」とし、憲法25条に基づく社会保障を解体して、公的支えをなくし、国民を無理やり「自助」に追い込むというものである。

自らの悪政によって生み出した貧困や生活苦の解決を、「自己責任」と「家族による助け合い」に押し付け、社会保障にたいする国の責任を丸ごと放棄し、医療、介護、年金、子育て、障害者など社会保障のあらゆる分野で手あたり次第の負担増と給付減を強行する――憲法25条に真っ向から逆らう社会保障解体論を許してはならない。

自公政権が、切り捨て推進の手段としているのが、「生活保護バッシング」に典型的にみられるように、国民の中に対立と分断を持ち込み、「いじめ」と「たたきあい」を広げる攻撃である。社会保障の改悪だけでなく、日本社会の病理を政府自らが作り出し、広げるという、およそ為政者としてやってはならないことを、社会保障解体の主要な手段にしていることは、許すことができないものである。

――医療、介護、年金、子育て、障害者、生活保護など、それぞれの制度の改悪に反対するとともに、安倍政権の社会保障解体の攻撃に対して、社会的連帯の力でこれを打ち破り、権利としての社会保障を実現するたたかいを起こすことをよびかける。

――日本共産党の「経済提言」に盛り込まれた社会保障の再生・拡充のプログラムは、財源を段階的に確保しながら、

「社会保障再生計画」の実行、「先進水準の社会保障」への拡充をすすめるという抜本的かつ現実的な提案となっている。この提案こそ、自公政権がまったく語れなくなった社会保障の現在・将来にわたる展望を指し示し、人間らしい生活を保障する社会保障という国民の願いに全面的にこたえるものである。

④内需主導の健全な成長をもたらす産業政策への転換を

第四の柱は、内需主導の健全な成長をもたらす産業政策への転換をはかることである。

大企業が、「国際競争力の強化」の掛け声で、人件費の削減や納入単価の引き下げなど、「コスト削減競争」に走り、内需を犠牲にして、外需でもうけをあげるといういびつな経済をつくりあげてきたことが、今日の「デフレ不況」の悪循環をもたらしている。

ここを根本から見直し、内需主導の健全な成長をもたらす産業政策に転換することを求めてたたかう。この転換は、大企業の横暴から労働者や中小企業を守るという意味だけでなく、大企業の内部留保を、労働者、中小企業、地域経済に適切に還元・還流することを通じて、日本経済全体の健全な成長・発展の道を開くという重要な意味をもつ。

――働く人を大切にして、ものづくりと産業の力を伸ばす。働く人を「使い捨て」にする政治は、労働者から仕事へのモチベーションを奪い、技術力も低下させている。雇用のルールを強め、働く人を大切にする社会をつくることは、産業の発展の源泉であり、消費と需要を支え、日本経済のしっかりとした基盤をつくることになる。

――多数の中小企業を排除する「選択と集中」路線から転換し、中小企業全体を視野に入れた振興・支援策を実行する。日本共産党が、２０１０年4月発表した、抜本的な中小企業政策でものべているように、①中小企業の商品開発、販路開拓、技術支援、後継者育成をはじめとした「振興」策と、②大企業や大手金融機関の横暴から中小企業の経営を守る「規制」策を、中小企業政策の「車の両輪」として行う。

――原発依存の産業政策から、自然エネルギーの本格的普及をはかる産業政策への転換をすすめる。自然エネルギーの事業は、幅広い関連産業を持ち、第1次産業、製造業など第2次産業の力を引き出す大きな可能性がある。エネルギー自給率を4％から抜本的に引き上げることは、「資源のない国」という日本の経済、産業の基礎的条件を根本から変えていく力にもなる。

――基礎研究を重視し、科学・技術、学問研究の基盤を強化する。大学や研究機関に対して短期的な成果を求める傾向が強まり、しっかりした基礎研究、すそ野の広い学問研究の基盤が危機にひんしている。国の学問研究予算の増額、研究者の雇用の安定をはかり、「目先の成果」に振り回されずに学問研究をすすめられる体制をつくる。

――農林漁業を、日本の基幹産業と位置づけ、地域経済を活性化する柱として振興する。「食と農」を破壊するＴＰＰに反対する。政府は、ＴＰＰ参加によって外国産米の輸入が増えることを見越し、5年後には国内での生産調整を廃止する方針を決めた。小規模農家を淘汰《とうた》し、財界の求めに応じて農地を企業に集積するなど、大規模化を促進するというが、TPP参加によって競争する相手は、農家1軒あたりの平均的な耕地面積で比べても、米国は日本の100倍、豪州は1500倍を超えている。日本の食料自給率を引き下げ、農業を破壊する動きに断固として反対する。食料自給率を50％に引き上げることを当面の目標にすえ、価格保障・所得補償、後継者支援、生産者と消費者の連携、地産地消をはじめ、農林漁業の振興に国をあげてとりくむことこそ急務である。

(15) 原発とエネルギー——原発政策の発展と焦眉の課題

東京電力福島第1原発事故は、原発に対する国民の認識を大きく変え、「原発ゼロの日本」は多くの国民の切実な願いになっている。

日本共産党は、日本で原子力発電が問題になった1950年代中ごろから、いまの原発技術は未完成で危険なものだとして、すべての原発建設計画に当初からきっぱり反対し、全国で原発建設反対運動をたたかってきた。国会でも、「安全神話」にどっぷりつかり独立した規制機関もなしに原発を推進したこと、使用済み核燃料＝「核のゴミ」の処理方法がないこと、地震・津波で全電源喪失が起きる危険があることなど、原発の危険性を具体的に告発し、政府の原発推進政策を追及してきた。

東北地方を襲った大地震と津波によって、核燃料が溶融する大事故が起きる危険性を指摘してきたわが党の警告は、不幸にして現実のものとなった。

福島原発事故の経験を踏まえ、日本共産党は、原発・エネルギー政策を発展させる一連の政策提起を行ってきた。

2011年6月に「原発撤退提言」を発表し、原発は、ひとたび重大事故を起こし、放射能が外部に流出する事態になると、人類にはそれを制御する手段はなく、空間的にも、時間的にも、社会的にも、被害は広がり続けるという「異質の危険」があること、世界有数の地震・津波国日本ではその危険がとりわけ深刻なものになることなどを示し、「安全な原発などありえない」こと、「原発と日本社会は共存できない」ことを明確にし、「原発からのすみやかな撤退」という方針を打ち出した。2011年8月には「放射能汚染から、子どもと国民の健康を守る対策」を提言し、国の責任による放射能汚染の実態の徹底した調査、迅速な除染、避難者支援の抜本的強化、内部被ばくを含む被ばく線量調査をはじめ万全の健康管理を要求した。

さらに、福島原発事故がいよいよ深刻となるもとで、原発再稼働に反対する世論と運動が大きく広がり、「原発ゼロの日本」の実現が国民多数の意思となり、日本中の原発がすべて停止する事態も生まれた。

わが党は、こうした事態を踏まえ、2012年9月、「即時原発ゼロ提言」を発表し、原発を再稼働する必要性も条件もないこと、原発を稼働すれば処理方法のない「核のゴミ」が増え続けることなどを指摘し、「すべての原発からただちに撤退する政治決断をおこない、『即時原発ゼロ』の実現をはかること」、「原発再稼働方針を撤回し、すべての原発を停止させたままで、廃炉のプロセスに入ること」などを提起した。

安倍政権は、原発を「基盤となる重要なベース電源」として、将来にわたって維持・推進し、「再稼働を進める」とした

「エネルギー基本計画案」を発表した（13年12月）。これは、「原発ゼロの日本」を願う、国民多数の民意への挑戦にほかならない。

――「即時原発ゼロ」の政治決断を求める。福島原発事故では、わが党が指摘した原発の「異質の危険」が猛威をふるい、事故は収束するどころか、被害は拡大しつづけ、放射能汚染水が増え続け、海洋への大規模な放射能汚染の危機、非常事態に直面している。日本共産党は、政府が、「即時原発ゼロ」の政治決断を行うことを、強く求める。「即時原発ゼロ」の政治決断と一体で福島の復興に国をあげてとりくむことを要求する。

――きわめて深刻な事態に立ち至っている放射能汚染水の危機打開をはかるため、わが党は、２０１３年９月、「緊急提言」を発表し、政府に対して、総力を結集した取り組みを求めてきた。①「放射能で海を汚さない」ことを基本原則として確立すること、②放射能汚染水の現状を徹底的に調査・公表し、「収束宣言」を撤回するとともに、非常事態という認識の共有をはかること、③再稼働や輸出のための活動を中止し、放射能汚染水問題の解決のために、もてる人的・物的資源を集中すること、④当事者能力をもたない東電は破たん処理し、国が直接に収束・賠償・除染に全責任を果たす体制を構築することを、強く求めるものである。

――原発再稼働、輸出の中止を求める。安倍政権は、財界と一体になって、原発の再稼働への暴走を開始し、原発輸出に奔走している。事故が深刻な非常事態にあるもとでの再稼働や輸出は論外である。「新規制基準」は、各原発の地震・津波想定に対する数値の定めもなく、活断層があっても見えなければその真上に原発を建設してもよく、住民の避難計画は自治体まかせという、きわめてずさんなものであり、これをテコに再稼働をすすめるなど、許せるものではない。原発の新増設は断じて認められない。破たんした核燃サイクル計画からすみやかな撤退を求める。

――再生可能エネルギーの大規模な普及と開発をすすめる。原発に頼らず、省エネ・節電の徹底と、再生可能エネルギーへの抜本的転換の計画をたてて実行する。エネルギー確保のためには、当面、５～10年程度の期間は、過渡的な措置として、火力による電力の確保が必要になるが、その間に、再生可能エネルギーの大規模な普及と低エネルギー社会への移行をすすめる。原発推進派は、「供給が不安定」「コストが高い」などというが、再生可能エネルギーは普及がすすめばすすむほど、また多様なエネルギーの組み合わせがすすむほど、供給が安定し、コストも低くなる。「高コスト」というなら、原発こそ究極の「高コスト」であることは、福島原発の現実が示している。日本の原発の40倍にのぼる巨大な潜在力をもつ再生可能エネルギーへの大転換にこそ、未来はある。

「原発ゼロの日本」をめざすたたかいは、「原発利益共同体」ともよばれている利権集団を解体し、「ルールある経済社会」をつくるたたかいの重要な一部である。それは、エネルギーの対米従属を打破していくたたかいでもある。日本共産党は、このたたかいを、「二つの異常」をただす綱領的課題の一つとして位置づけ、全力をあげて奮闘する。

原発のもつ「異質の危険」は、世界のどの原発にもあてはまる問題である。人類は、スリーマイル、チェルノブイリ、フクシマと3回の原子力大災害を体験しており、私たちは、やがて「原発ゼロ」は世界の大勢になると確信している。すべての原発を廃炉にし、「核のゴミ」を処分することは、人類の英知を結集してとりくむべき巨大プロジェクトとなるだろう。福島原発事故を体験した日本こそ、「原発のない世界」にむけて、国際的プロジェクトをすすめるイニシアチブを発揮すべきである。

(16)「アメリカいいなり」をやめ、独立・平和の日本を

日米安保条約の発効から60年をへて、この条約を背骨とした「異常なアメリカいいなりの政治」は、あらゆる分野で行き詰まりを深め、国民との矛盾が噴き出している。

①沖縄をはじめとする米軍基地問題の異常な実態をただす

2010年以降、普天間基地の「県内移設反対」が県民の文字通りの総意になったにもかかわらず、日米両政府はこの総意を無視して、「辺野古移設」を「唯一の解決策」として力ずくで押し付けようとしている。「沖縄の負担軽減」といいながら、現実にやっていることは、辺野古に最新鋭の巨大基地を押し付け、垂直離着陸機・オスプレイを配備して沖縄全土をわがもの顔に飛行させ、嘉手納基地にステルス戦闘機を配備し、海兵隊を大幅に増強するなど、負担増のオンパレードである。沖縄県民と米軍基地との矛盾は、いまや限界点をはるかに超えている。米軍基地をなくすことは、沖縄の地域経済を発展させるためにも不可欠となっている。

安倍政権は、強圧をもって、沖縄県選出の自民党国会議員と自民党県連に、「県外移設」の公約を撤回させ、新基地建設容認に転じさせた。さらに、沖縄振興費など「札束」の力で、仲井真知事に圧力をかけ続け、新基地建設のための埋め立てを承認させた。裏切った者の責任はもとより重大だが、裏切らせた安倍政権の責任はさらに重いものがある。これは、民主主義の国では決してあってはならない暴政であり、断じて許すわけにはいかない。わが党は、「沖縄は屈しない」との沖縄県民の決意に固く連帯してたたかう。

オスプレイの問題は、沖縄だけではない。滋賀県での日米共同演習を突破口に、七つの低空飛行訓練ルートなど、日本全土でオスプレイの低空飛行訓練が計画され、新たな配備も狙われており、これが実施されれば、その危険性と被害は甚大なものとなる。

海兵隊や空母打撃群など在日米軍が、「日本防衛」のためではなく、米軍が地球的規模で展開するための前進基地として配置されていることは、歴代米国防長官とともに、日本の元防衛大臣も認めていることである。

普天間基地の無条件撤去、オスプレイ配備の撤回、無法な低空飛行訓練の中止、海兵隊の撤退、空母打撃群の母港返上、日米地位協定の抜本改定など、異常な「米軍基地国家」の現状をただすたたかいに力をそそぐ。

②秘密交渉と公約違反のTPPから即時撤退を求める

TPPは、アメリカ型の「貿易と投資の自由化」と「市場原理主義」を「国際ルール」として押し付けようというものであ

る。それは、農林水産業、食の安全、医療など、国民生活と日本経済のあらゆる分野に多大な犠牲をもたらし、日本の経済主権を放棄し、アメリカに日本を丸ごと売り渡す亡国の協定にほかならない。

こうしたTPPを安倍政権は二重の公約違反で推進している。第一は、「丁寧な情報提供」を約束しながら、徹底した秘密交渉で交渉妥結に突き進んでいることであり、第二は、「守るべきものは守る」とし、農産物の「重要5項目」を「聖域」にすると公約しながら、その関税撤廃の検討に踏み込んだことである。

秘密交渉と公約違反のTPP交渉からただちに撤退することを強く求める。食料主権、経済主権の相互尊重に立った、互恵・平等の経済関係を発展させるために力をつくす。

③日米安保条約廃棄の国民的多数派を

日本共産党は、こうした直面する熱い矛盾の焦点で、一致点にもとづく共同をそれぞれ発展させながら、日米安保条約を廃棄する国民的多数派をつくりあげるために力をそそぐ。そのさい、「外交ビジョン」で示した「安保条約をなくしたらどういう展望が開かれるか」を、広範な国民に語り広げていくことは、きわめて重要である。

――安保条約をなくせば、米軍基地の重圧から日本国民が一挙に解放される。安保条約のもとでは個々の基地を動かすにも日米合意が必要になるが、安保条約をなくすには、条約10条の権利を行使して、一方が通告すれば可能になる。日本から米軍基地をなくせば、日本は、アメリカの〝戦争の根拠地〟から抜け出すことができる。在日米軍のためにあてている血税と土地を、国民のために使うことができる。

――日本は、アメリカの〝戦争の根拠地〟から、憲法9条を生かした〝平和の発信地〟に大きく変わる。日米軍事同盟をなくしてこそ、日本は、東アジア地域で、軍縮への転換のイニシアチブを本格的に発揮する立場に立つことができる。「国連憲章にもとづく平和の国際秩序」、「核兵器のない世界」など、地球的規模での平和の課題に、自主自立の平和外交で貢献する国になることができる。

――アメリカとの関係は、日米安保条約に代えて、対等・平等の立場にたって日米友好条約を結ぶ。非同盟諸国首脳会議は、すでに137カ国、55億人が参加（オブザーバーを含む）し、非軍事同盟・中立、国連憲章にもとづく平和の国際秩序、核兵器の廃絶、公正で民主的な国際経済秩序をめざす巨大な潮流として発展しているが、安保条約をなくした日本は、この世界史の本流と合流する。それは世界の平和と進歩への巨大な貢献となる。

(17) 北東アジア平和協力構想を提唱する

北東アジアには、北朝鮮の核兵器問題、尖閣諸島問題などの紛争問題とともに、歴史問題をめぐる対立と相互不信が存在する。今日の情勢のもとで、北東アジアに平和的環境をつくる外交努力を追求することは緊急で重要な課題である。東南アジアで発展している平和の地域共同体を、北東アジアでも構築しようというのが、日本共産党の提案である。

つぎのような目標と原則にたった、北東

アジア平和協力構想を提唱する。

——関係諸国を律する平和のルールとして、武力の行使の放棄、紛争の平和的解決、内政不干渉、信頼醸成のための効果的な対話と協力の促進などを定める北東アジア規模の「友好協力条約」の締結をめざす。

——北朝鮮問題について、「6カ国協議」の2005年9月の「共同声明」に立ち返り、非核の朝鮮半島をつくり、核・ミサイル・拉致・過去の清算などの諸懸案の包括的解決をはかり、この枠組みを、北東アジアの平和と安定の枠組みに発展させる。

——この地域に存在する領土に関する紛争問題の解決にあたっては、歴史的事実と国際法にもとづく冷静な外交的解決に徹する。力による現状変更、武力の行使および威嚇など、紛争をエスカレートさせる行動を厳に慎み、国際法にのっとり、友好的な協議および交渉をつうじて紛争を解決する行動規範を結ぶことをめざす。

——北東アジアで友好と協力を発展させるうえで、日本が過去に行った侵略戦争と植民地支配の反省は、不可欠の土台となる。日本軍「慰安婦」問題など未解決の問題をすみやかに解決するとともに、歴史を偽造する逆流の台頭を許さない。

このような北東アジアの平和協力構想は、いま進展している国際政治の動きをみても、現実性をもっている。

韓国の朴槿恵《パククネ》大統領が、2013年5月、米国議会での演説で、「北東アジアの平和協力構想」を提起し、北東アジア全体で多国間対話のプロセスをすすめ、平和と協力のメカニズムを構築することを訴えたことは注目される。6月、中韓首脳会談でかわされた「共同声明」では、「中国側は朴大統領が提起した『北東アジア平和協力構想』を称賛し、原則的に支持する」としている。さらに、10月に開かれた、ASEANプラス3首脳会議でも、「北東アジア平和協力構想」について、参加国の首脳らはこれを歓迎している。続いて12月、インドネシアのユドヨノ大統領が、東京での講演で、武力行使の放棄と紛争の平和解決などを原則とする「インド・太平洋友好協力条約」の締結をよびかけた。

軍事的手段・軍事的抑止力にもっぱら依存した安全保障という考え方から脱却し、対話と信頼醸成、紛争の平和的解決など、平和的アプローチで安全保障を追求する——「平和的安全保障」という新しい考え方に立ち、軍拡から軍縮への転換をめざし、平和の地域共同体を北東アジアでもつくりあげるために、関係諸国が対話と協力の促進に力をつくすことを呼びかける。

(18) 日本国憲法を守り、生かすたたかいを

①憲法改定、「海外で戦争をする国」づくりを許さない

安倍政権は、憲法9条2項を変えて、「国防軍」をつくることを現実の政治日程にのせることを公言している。これは自衛隊の名称変更というような形式論ではない。9条2項という「歯止め」を取り払えば、日本が「海外で戦争をする国」に変えられてしまう。

重大なのは、安倍政権が、「積極的平和主義」を看板に、明文改憲の前にも解釈改

憲によって集団的自衛権行使を可能にしようとしていることである。

安倍政権は、2013年の臨時国会で、外交・安保政策の「司令塔」となる国家安全保障会議（日本版NSC）法と、秘密保護法を強行した。その後、初の「国家安全保障戦略」を閣議決定し、それにもとづく新「防衛大綱」、新「中期防衛力整備計画」を策定した。それは従来の「専守防衛」の建前さえ投げ捨てて、自衛隊の侵略的機能の強化をはかろうとするものである。さらに、2014年の通常国会で、集団的自衛権行使を現実のものとする「国家安全保障基本法案」を成立させることを狙っている。

秘密保護法は、国政の重要問題で、国民の目と耳、口をふさぎ、国民の知る権利、言論・表現の自由を脅かし、日本国憲法の基本原理を根底からくつがえす希代の悪法である。それは、日本を「海外で戦争をする国」につくりかえるために、国家が強権的に情報を統制し、国民の言論・表現を抑圧することを目的としている。もともと、数多くの日米密約に示されているように、日本は先進国の中でも不当に秘密にされていることが特段に多い国である。その国に秘密保護法を持ち込むことは、日本社会を文字通りの暗黒社会へと逆行させるものである。

安倍政権は、国会の多数で秘密保護法を強行したが、これに反対する世論と運動の急速な広がりは、日本国民の中に平和と民主主義を求める巨大なエネルギーが存在することを示した。わが党は、民主主義破壊の悪法に反対する一点での共同を広げ、世論と運動によって悪法を包囲し、廃止に追い込むために全力をつくす。国会に、秘密保護法の廃止法案を提出してたたかう。

集団的自衛権の問題は、現実にはありえない架空のシミュレーションの議論でなく、現実の政治の土俵で議論することが重要である。①集団的自衛権は、いかなる意味でも「自衛」とは無関係な、大国による無法な侵略戦争、軍事介入の口実に使われてきたこと、②日本の政治の歴史でも、集団的自衛権は、アメリカの海外での戦争への日本の派兵との関係でもっぱら問題になってきたこと、③その現実的な狙いは、従来の海外派兵立法の「歯止め」をはずして、自衛隊が戦闘地域にまで行って、米軍とともに戦争行動を行うことにあること――を広く明らかにしていくことが大切である。

②改憲派の矛盾をつき、国民多数の世論と運動で包囲しよう

安倍政権が憲法改定の道を暴走し、改憲派が国会で多数を占めていることの危険はもとより重大である。

同時に、改憲派が、深刻な矛盾を引き起こしていることに注目し、国民多数の世論と運動でこの企てを包囲していく、攻勢的なたたかいが大切である。

一つは、改憲派が、憲法9条改定を正面から提起することができず、憲法96条改定を突破口にしようとしてきたこと、さらにクーデター的やり方で内閣法制局長官の首をすげかえて集団的自衛権行使への解釈改憲を強行しようとしてきたこと――こうした手法それ自体が、9条改定の是非を超えて、近代の立憲主義を根底から否定する暴挙として、広範な人々の批判を広げていることである。

二つは、改憲派が、「自民党改憲案」に見られるように、憲法9条2項を改変して「国防軍」を書き込むとともに、基本的人権を永久不可侵とする条項を削除し、それ

を「公益及び公の秩序」の範囲内でしか認めないものにするなど、人類普遍の基本的人権すら否定しようとしていることに、強い批判が広がっていることである。改憲の動きと一体にすすめられている秘密保護法が、基本的人権をはじめ憲法の民主的原理を根底から否定しようとしていることに対しても、広範な諸団体・個人からの批判が集中している。

三つは、安倍政権の憲法改定、集団的自衛権行使への暴走――異常な軍事一辺倒の姿勢は、中国や韓国など周辺諸国から警戒をもって受け止められているだけでなく、米国のなかからも懸念の声を呼び起こしている。米国国防総省高官は、自民党の国防族議員に「周辺国とトラブルにならないでほしい」とのべた。在韓米軍高官は、憲法9条改定などをめぐる安倍首相の発言などについて「この地域にとって有益ではない」と疑問を呈した。アメリカは、アジア・太平洋地域重視の「リバランス」戦略のもとで、軍事同盟の強化を第一の戦略に据えつつ、同時に、外交戦略をもってのぞんでいる。「外交不在、軍事一辺倒」の安倍政権の姿勢は、米国の戦略とも矛盾や軋《あつ》轢《れき》をきたしつつあるのである。

憲法改悪阻止の一点で、広大な国民的運動を発展させ、改憲派のたくらみを包囲し、それを打ち砕くために全力をあげよう。

③憲法を生かす政治への転換を――教育、男女平等、学術・文化、政治改革

日本共産党は、「現行憲法の前文をふくむ全条項をまもり、とくに平和的民主的諸条項の完全実施をめざす」（綱領）という立場を堅持して奮闘する。

日本国憲法の先駆性は、第9条だけではない。30条にわたる豊かで先駆的な人権条項も、世界に誇るべきものである。自民党政治のもとで、それが踏みにじられていることが問題である。憲法を生かす政治への転換こそ求められている。

――日本の教育は、「異常な競争教育」「世界一の高学費」「教育の自由への乱暴な介入」という、世界に例のないゆがみを抱えている。安倍政権は、改悪教育基本法の具体化として、全国学力テスト体制、教員統制、教育委員会制度の改悪、教科書検定基準の改悪・侵略戦争美化の歴史教科書の押し付け、道徳の「教科化」などをすすめつつある。その狙いは、9条改憲と一体に、「戦争ができる国」、「弱肉強食の経済社会」という国策に従う〝人づくり〟をすすめるものであり、教育のゆがみをいよいよひどくするものである。わが党は、この暴走と対決し、日本の教育のゆがみを、憲法と子どもの権利条約の立場からただし、世界最低水準の教育予算を抜本的に引き上げ、新しい日本にふさわしい教育を築くために奮闘する。2012年11月に発表した提案「『いじめ』のない学校と社会を」を生かし、この深刻な社会問題の解決のために引き続き力をつくす。

――世界では、国連女性差別撤廃条約によって社会のあり方の改革がすすめられている。日本は、2013年男女平等に関する世界順位（ジェンダー・ギャップ指数）が136カ国中105位であり、発達した資本主義国のなかで最低の地位にある。国際機関から繰り返し政府に改善が勧告されている法律上の差別規定――婚姻年齢の男女差、女性の再婚禁止期間、夫婦の氏の制度、婚外子差別などを是正し、雇用における男女賃金格差、女性管理職比率などの実効性のある

改善のために全力をあげ、条約の実施を求めていく。地方議員の35％、党員の47％が女性であり、女性の政治参加を積極的に促進してきた党として、政治的・社会的活動への平等な参加を促進する先頭にたつ。

——大学の反動的再編を許さず、大学の自治と学問・研究の自由を守るとともに、基盤的経費を増額し、大学間格差の是正と若手研究者支援の抜本的拡充をはかる。表現の自由・文化活動の自由を守り、国家予算のわずか0・11％という、世界でも異常に低い文化予算を抜本的に増額して、芸術・文化の支援への国の責任を果たす。スポーツを国民の権利として、国のスポーツ施策の多面的な発展をはかる。

——衆議院における小選挙区制を廃止し、民意を正確に反映する比例代表制への抜本改革を行う。現行の総定数480を維持し、全国11ブロックを基礎とした比例代表制にする。そうすれば「1票の格差」も抜本的に解決できる。民意の反映に逆行する衆院比例代表定数削減にきびしく反対する。参議院も「1票の価値」の平等を実現しつつ、多様な民意を反映する制度に抜本改革する。憲法違反の政党助成金制度を撤廃する。企業・団体献金は、本質的に政治を買収するわいろであり、全面的に禁止する。これらの改革は、日本国憲法の国民主権、基本的人権、議会制民主主義にたった大義と道理をもつものである。

(19) 侵略戦争を肯定・美化する歴史問題での逆流を日本の政治から一掃する

安倍政権が発足して以来、過去の日本の侵略戦争と植民地支配を肯定・美化する歴史逆行の勢力が、その本性をむき出しにし、大きな国際問題になっている。

①靖国神社問題、「村山談話」見直し問題、日本軍「慰安婦」問題について

2013年12月、安倍首相は靖国神社への参拝を強行した。靖国神社は、戦争中は、国民を戦争に動員する役割をにない、現在も、過去の軍国主義による侵略戦争を〝自存自衛の正義のたたかい〟、〝アジア解放の戦争〟と美化し宣伝することを存在意義としている特殊な施設である。また、侵略戦争を引き起こした罪を問われたA級戦犯が〝連合軍による一方的な裁判で濡《ぬ》れ衣《ぎぬ》を着せられた犠牲者〟として合祀《ごうし》されている。この施設に首相が参拝することは、侵略戦争を美化する立場に自らの身を置くことを、世界に向かって宣言するものにほかならない。

首相の靖国参拝に対して、中国政府、韓国政府からのきびしい批判はもとより、米国政府も「失望した」との異例の批判を行った。さらに批判は、国連事務総長、EU、ロシア政府、シンガポール政府などにも広がった。このような行為を続けるなら、日本は世界のどの国からもまともに相手にされない国となる。首相、閣僚が、靖国神社参拝をきっぱりとやめることを、強く求める。

安倍首相が、「村山談話」の見直しに言及し、「侵略の定義は定まっていない」とのべ、「村山談話」の一番の核心部分——

「国策を誤り」、「植民地支配と侵略」を行ったという部分をかたくなに認めようとしないことは、きわめて重大である。過去の誤りを認めず、その美化をはかるいっさいの逆行に、わが党はきびしく反対する。

2013年5月、国連の人権条約機関である拷問禁止委員会と社会権規約委員会があいついで日本軍「慰安婦」問題について日本政府の対応を批判し、是正を求める勧告を行った。この問題で、韓国政府が被害者の賠償問題について、日韓請求権協定にもとづく政府間協議を繰り返し日本政府に求めているにもかかわらず、日本政府が「解決ずみ」として協議そのものを拒否していることは、重大な問題である。同協定第3条1項は、協定の解釈や実施に関して紛争がある場合には、「外交上の経路をつうじて解決するものとする」としており、日本政府は、韓国政府との協議に早急かつ誠実に応じるべきである。

②安倍首相の「価値観外交」の二重の問題点について

安倍首相は、「価値観外交」――「自由と民主主義、市場経済といった普遍的価値に基づく外交」なるものを標ぼうしているが、ここには二重の問題点があることを指摘しなければならない。

第一に、現代の世界においては、異なる価値観をもった体制や文明が、それを相互に尊重し、共存することがいよいよ大切な時代となっており、自らの「価値観」を押し付け、あるいは「価値観」を異にするものを排除するという姿勢は、きわめて有害である。

第二に、国際政治のうえで「価値観」を問題にするならば、何よりも過去の日本とドイツとイタリアによるファシズム・軍国主義と侵略戦争を断罪し、二度と繰り返してはならないとする「価値観」こそが、体制のいかんを問わず人類共通の「価値観」である。この「価値観」を覆そうという歴史逆行の立場に立つものは、国際政治に参加する資格はない。

日本共産党は、戦前の暗黒政治のもとでも、侵略戦争に命がけで反対を貫いた党として、日本の政治から歴史問題での逆流を一掃するために全力をあげる。

⒇統一戦線の現状と展望について

前大会以降の顕著な特徴は、この数年来、原発、TPP、消費税、憲法、米軍基地など、国政の根幹にかかわる問題で、一致点にもとづく共同――「一点共闘」が大きな広がりをもって発展していることにある。広大な無党派の人々、従来の保守といわれてきた人々との共同が各分野で大きく広がっている。文化人、知識人、宗教者が新たに共同に参加する動きも広がっている。これは未来ある画期的な動きである。

この動きを発展させ、日本を変える統一戦線をつくりあげていくうえで、次の諸点に留意して奮闘する。

――わが党は、どの分野でも、一致点を大切にして「一点共闘」の発展のために誠実に力をつくすとともに、必要なときには縁の下の力持ちとして粘り強い努力を重ねてきた。この姿勢を今後も堅持することが何よりも大切である。

――同時に、どんな問題でも、根本的打開をはかろうとすれば、綱領が示した国政の民主的改革が必要になることを、太く明らかにする独自の活動に取り組むことが大切になってくる。この点で、革新懇運動が、草の根から国民の要求にもとづく多彩な共同の取り組みをすすめるとともに、自民党政治を根本から変える「三つの共同目標」（①日本の経済を国民本位に転換し、暮らしが豊かになる日本をめざす、②日本国憲法を生かし、自由と人権、民主主義が発展する日本をめざす、③日米安保条約をなくし、非核・非同盟・中立の平和な日本をめざす）を掲げて国民多数の合意をつくるために奮闘していることはきわめて重要であり、この運動が情勢にふさわしく大きく発展するよう力をそそぐ。革新懇運動を支える自覚的な民主勢力が、広大な国民と結びつき、その活動と組織を前進させることが、強く期待される。

――統一戦線をつくるうえで、労働運動が果たすべき役割はきわめて大きい。この点で、連合指導部の特定政党支持路線と労資協調主義路線という二つの重大な問題点が、深刻な矛盾にぶつかり、変化が起こっていることは注目すべきである。消費税増税、原発推進、公務員賃金削減など悪政を推進した民主党に対する労働者の怒りが広がり、連合系労組で特定政党支持の締め付けがきかなくなりつつあり、民主党一党支持を正面から掲げられなくなった有力単産も生まれた。職場からナショナルセンターの違いを超えて要求にもとづく共同を強め、特定政党支持を打ち破り、労資協調主義を克服するたたかいをすすめる。労働組合への組織率が、労働者全体の18％まで落ち込んだ事態を重視し、党と階級的・民主的労働運動が協力して、広大な未組織労働者の組織化に取り組む。労働者の要求にもとづく共同行動を発展させるうえで、全労連の果たす役割はいよいよ大きくなっており、その発展が強く期待される。

――日本共産党は、単独政権でなく、民主連合政府という連合政権をめざしている。その場合の連合の相手はどこから出てくるか。革新懇型の共同――日本共産党と無党派の人々との共同が、いよいよ本流になってくるだろう。同時に、いま「一点共闘」をともにたたかっている人々のなかからも連合の相手が生まれてくるだろう。

そして、そうした動きともあいまって、政党戦線においても、日本共産党との連合の相手が必ず出てくると、私たちは確信するものである。そのさい、私たちの連合の対象となる相手が、従来の保守の流れも含む修正資本主義の潮流であることも、大いにありうることである。日本共産党は、社会主義・共産主義の日本を展望する党だが、当面する変革の課題は、資本主義の枠内で「二つの異常」を正し、「国民が主人公」の日本への変革をはかることにあると考えている。将来的な展望の違いがあっても、「二つの異常」を正すという当面する課題での一致がえられるならば、統一戦線をともにつくりあげることは可能であり、共同のために努力する。

日本共産党が、あらゆる分野で国民と深く結びつき、強大な組織力をもって発展することは、新しい政治への国民的共同と統一戦線を発展させるための決定的な条件となる。そこにこそ新しい日本への扉を開く保障があることを銘記して奮闘しよう。

第4章　国政と地方政治で躍進を本格的な流れに

(21) 来るべき国政選挙で党躍進をかちとる意義と目標について

①「21世紀の早い時期に民主連合政府」という目標への展望を開く選挙に

次期衆議院選挙、および参議院選挙で、日本共産党が躍進をかちとることは、日本の政治にとっても、わが党の今後にとっても、きわめて大きな意義を持っている。

第一に、次の国政選挙は、反動的暴走を続ける自民党政権と国民との矛盾が、あらゆる分野で深刻になるもとで、古い行き詰まった政治を継続するのか、その根本的転換をはかり新しい日本をめざすのか――二つの道の対決＝自共対決が、いっそう鋭く問われる選挙となる。日本共産党の躍進は、反動的暴走を食い止め、「国民が主人公」の新しい政治をおこすうえで、決定的な力となるものである。

第二に、わが党が躍進をかちとることは、新しい政治を求める国民のたたかいを発展させるうえでも重要な貢献となる。それは、各分野に広がる一致点にもとづく共同を励まし、新しい統一戦線をつくりあげていく最大の保障となる。

第三に、国政選挙での連続的な躍進によって、〝第3の躍進〟を本格的な流れにすることは、綱領実現めざし、中期的展望にたった「成長・発展目標」――どの都道府県、どの自治体・行政区でも「10％以上の得票率」を獲得できる党へと接近し、「21世紀の早い時期に民主連合政府を樹立する」という目標への展望を開くものとなる。

②比例代表で「650万票、得票率10％以上」を着実に達成・突破する

次期総選挙、および参院選では、「比例を軸に」をつらぬき、「全国は一つ」の立場で奮闘し、比例代表選挙で「650万票、得票率10％以上」を目標にたたかう。

私たちは、「650万票以上」という得票目標について、「それを実現するまで繰り返し挑戦する目標」として設定してきた（第24回党大会5中総決定）。わが党は、2013年の参院選で、得票率は9・7％とほぼ10％に到達したが、得票は、低投票率のもとで515万である。また、8中総決定でも確認したように、この結果自身が、「私たちの実力以上の結果」であり、515万という峰は決して既得の陣地ではないことを忘れてはならない。以上を踏まえて、ひきつづき「650万票、得票率

10％以上」を目標に掲げ、この目標を着実に達成・突破することとする。

衆議院選挙では、「すべての比例ブロックで議席獲得・議席増をかちとり、小選挙区でも議席を獲得する」ことを目標に奮闘する。参議院選挙では、「比例5議席以上、選挙区3議席以上」を目標に奮闘する。

次期国政選挙にむけて、衆参ともに早期に候補者を決定し、選挙勝利をめざす活動をただちに開始する。

（22）地方政治をめぐる焦点、地方選挙での躍進をめざして

２０１５年4月に行われるいっせい地方選挙は、国政に重大な異変が起こらない限り、私たちが直面する最も早い全国的政治戦となる。この選挙は、それぞれの地方自治体の今後を左右するとともに、安倍政権の反動的暴走に国民的審判をくだす機会でもある。また、わが党にとって〝第3の躍進〟を本格的な流れにするうえで重大な関門となる。

①地方自治体の深刻な矛盾と、日本共産党躍進の意義

安倍自民党政権の暴走は、消費税増税でも、社会保障改悪でも、ＴＰＰ推進でも、その犠牲は地方経済、地方自治体に深刻な形であらわれざるをえない。また、この間、市町村合併と地方財政削減、社会保障などの最低基準を定めた「義務づけ・枠づけ」の見直しなどによって、「住民福祉の機関」としての自治体の機能と役割の弱体化、住民の福祉と暮らしの破壊、地域経済の衰退が加速し、地方自治体の危機が進行している。地方自治を破壊・変質させる道州制導入のくわだても重大である。

多くの県（34都府県）では、わが党を除く「オール与党」自治体となっており、日本共産党は、唯一の野党として、住民要求実現のかけがえのないよりどころとなっている。地方議会で日本共産党を前進させることは、住民の声を自治体に届け、住民の声で動く自治体をつくるうえで、最も確かな保障となるものである。

同時に、安倍政権の暴走が、住民との矛盾を激化させるもとで、ＴＰＰ反対の「オール北海道」、原発ゼロの「オール福島」、米軍基地問題での「オール沖縄」のたたかいなど、切実な要求にもとづく党派を超えた共同が広がっていることは注目される。子どもの医療費無料化、国保料（税）引き下げなど、住民の暮らしの切実な要求を掲げた地方議会のなかでの共同も広がっている。日本共産党地方議員団の前進は、住民要求にもとづく共同を推進するうえでも、決定的な力となる。

②現有議席確保・議席増によって、地方議会第1党の奪回をめざす

地方選挙の目標としては、現有議席の確実な確保とともに、議席増を重視し、議席数で次期第27回党大会までに、地方議会第1党の奪回をめざす。

わが党の地方議員数は、市町村合併による町村の大幅な減少、定数削減のもとでの選挙での後退などによって、かつて第1党であったが、現在は２７００人台で、自民党、公明党の２９００人台に次ぎ、第3党となっている。第1党の奪回をめざして、議席占有率、議案提案権、空白克服の三つの目標での前進をめざし、適切な議席獲得目標と積極的な得票目標をかかげて奮闘する。県議空白克服とともに、４０４自治体（23％）ある党議席空白の克服を特別に重

視する。

2015年いっせい地方選挙では、道府県議、政令市、東京特別区、県庁所在地、主要な地方都市の議員選挙を特別に重視する。前回のいっせい地方選挙では、県議16、政令市議16、東京区議9、一般市議115、町村議34の合計190議席を失った。七つの県議空白県（栃木、神奈川、静岡、愛知、三重、滋賀、福岡）の克服、県議空白の政令市（20市中13市）での県議議席獲得、政令市の市議空白区の克服、前回選挙で議席を後退させたところの失地回復をとりわけ重視する。選挙まで1年数カ月となっており、予定候補者をすみやかに決定し、選挙態勢の確立など選挙戦の取り組みをただちに強化する。

自治体合併によって自治体議員選挙の時期が分散し、地方選挙は通年選挙の様相となっている。定数削減により、多くのところで得票目標もたたかいの規模も大きくなっており、政治目標と候補者決定など、早くからの取り組みが重要である。中間地方選挙の一つ一つを重視し、得票とともに議席を着実に増やし、躍進の確かな流れをつくりだす。

いっせい地方選挙では、11知事選挙、6政令市長選挙、13東京特別区長選挙がたたかわれる。またそれまでにも、東京、京都、沖縄の知事選をはじめ重要な首長選挙がたたかわれる。これらの首長選挙を、日本共産党と無党派の人々との共同を強め、革新・民主の自治体の流れを発展させるために、わが党の政治的比重と役割の増大にふさわしく積極的に位置づけ、攻勢的な取り組みをすすめる。維新の会など、日本の未来に深刻な害悪を与える重大な反動的逆流を阻止するために、大阪市長選、堺市長選で「自主的支援」という形でたたかったことは重要であり、この教訓を今後のたたかいに生かしていく。

③党規約にもとづき適切な単位で必ず議員団を構成する

わが党の地方議員は、全国77％以上の自治体に議席をもち、草の根から住民の暮らしを守って活動し、住民要求の実現と地方政治の前進にとってかけがえのない役割を果たしている。党規約第44条は、地方議員（団）の活動について、「適切な単位で必ず議員団を構成する」「すべての議員は、原則として議員団で日常の党生活をおこなう」と規定している。党機関は、適切な単位の党議員団を確立し、すべての議員が政治討議と学習をつよめて活動水準を高め、市民道徳と社会的道義をまもり、支部と力をあわせて要求実現と党建設を前進させるよう援助を行う。同時に、議員の側からも、その悩みを率直に党機関に提起し、困難や矛盾を解決するために努力をはらう。議員と党機関が、心を開いて何でも相談できる関係を築くことが大切である。

（23）結びつきを生かして選挙戦をたたかう方針 ――「選挙革命」を発展させる

参議院選挙は、選挙戦の宣伝・組織活動でも、重要な教訓をつくった。党員と党組織のもつあらゆる結びつき、つながりを生かして選挙勝利に結実させる「選挙革命」というべき活動方向を、国政選挙でも地方選挙でも発展させることが重要である。

――すべての党組織と党支部で、「650万票、10％以上」にみあう得票目標、支持拡大目標をもって活動する。それを実現する「政策と計画」――「四つの原点」にもとづく活動を具体化し、日常的に活動する。

――結びつきと要求にもとづく活動を、「四つの原点」のなかでも根本の活動として重視する。党員の持つあらゆる日常的な結びつきに光をあて、つねに新しい結びつきを広げ、それを生かした活動に取り組む。国政の熱い問題でのたたかいとともに、職場、地域、学園の身近な諸要求をとりあげた活動、国民の苦難を軽減する生活相談、労働相談など、多面的な活動に取り組む。

――政治宣伝では、有権者の生活条件に即して、全戸に宣伝物を配布する態勢・活動を強める。労働者と若い世代に向けた宣伝を重視し、駅頭、職場門前、大学門前など人の流れにそった宣伝を系統的にすすめる。地域・職場・学園新聞の発行、定期的なハンドマイク宣伝、掲示板の拡大など、「支部が主役」の日常的な草の根の宣伝を強化する。

――組織活動では、「マイ名簿」にもとづいて、党員の全国的な結びつき、つながりを視野に入れた対話と支持拡大の活動を、選挙戦の組織活動の大きな柱と位置づけ、日常的に発展させる。後援会員や党支持者に協力を訴える「折り入って作戦」、「選挙はがき」を活用した取り組みも、この間の選挙戦が作り出した重要な教訓であり、今後のたたかいに生かす。少なくない有権者が日本共産党に新たな関心や期待をよせ、選択肢の一つと考え始めているもとで、テレデータを使った不特定の有権者への働きかけを「声の全戸訪問」と位置づけて取り組み、大きな力を発揮したが、これを選挙活動の柱にすえていく。この取り組みのなかで、支持者台帳を整備、充実、活用していく。

――インターネットの活用は、双方向のコミュニケーションの手段として、無党派層、若い世代、子育て世代などが、党に接近し、共感を広げるうえで、重要な役割を果たしている。党員が、この活動に取り組むことで、初めて選挙戦に参加するなど、選挙の担い手を広げるうえでも重要な活動である。日本共産党にとって大きな可能性のあるこの分野での取り組みを、さらに抜本的に強める。

――直面するいっせい地方選挙と中間地方選挙での勝利をめざし、また、国政選挙で「650万票、10%以上」を必ず達成することをめざし、すべての党機関と党支部が、それにふさわしい党勢拡大の目標をもつ。党勢拡大での高揚をつくりだしながら、選挙戦での躍進をかちとるために、あらゆる力をそそぐ。

――選挙戦の日常化の要として後援会活動の強化をはかる。現在の後援会員数は364万人となり、わが党がもつ最大の組織である。後援会ニュースの定期的発行などによって後援会員との人間的・政治的結びつきを強めるとともに、すべての支部が対応する単位後援会を確立し、要求にこたえた多彩な活動に取り組み、選挙戦をともにたたかう。共通する要求実現のために活動を大きく発展させる条件をもつ分野別後援会を強める。

第5章　躍進を支える質量ともに強大な党建設を

(24) 〝第3の躍進〟を支え、「成長・発展目標」を保障する強大な党を

参議院選挙で始まった〝第3の躍進〟を本格的な流れに発展させ、2010年代に「成長・発展目標」を達成し、「21世紀の早い時期に民主連合政府を樹立する」最大の保障は、質量ともに強大な党を築くことにある。

①2010年代に党勢の倍加、世代的継承に全党あげてとりくむ

党勢拡大の目標について、第26回党大会は、2010年代に「成長・発展目標」を実現するために、50万の党員（有権者比0・5％）、50万の日刊紙読者（同）、200万の日曜版読者（2・0％）――全体として現在の党勢の倍加に挑戦することを提起する。国政選挙（衆参ともに2回）、いっせい地方選挙（2回）を節目に、党勢の新しい発展段階を築く意欲的な目標をきめて挑戦する。

そのさい、党の世代的継承を、綱領実現の成否にかかわる戦略的課題にすえ、全党あげて取り組む。すべての党機関、支部・グループ、議員団が、世代的継承の目標と計画をもち、あらゆる条件と可能性をくみつくし、若い世代から党員を迎え入れるために、知恵と力をつくす。とりわけ、職場支部の継承と発展、青年・学生のなかでの党づくり、民青同盟への親身な援助と発展に、党の総力をあげた取り組みを行う。

②「第26回党大会成功・党勢拡大大運動」のとりくみと党勢拡大の到達点

私たちは、8中総決定で、参議院選挙の結果を総括し、「党の自力の問題は、私たちの最大の弱点であり、反省点」であること、参院選での躍進は、「私たちの実力以上の結果であるということを、リアルに直視する必要がある」とのべた。

この総括にたって、全党は、党大会にむけて2014年1月末を期日にした「第26回党大会成功・党勢拡大大運動」にとりくんでいる。「大運動」の4カ月通算で、約2割の支部が新たな党員を迎え、新入党員は5400人を超えた。「しんぶん赤旗」読者の拡大は、日刊紙2400人、日曜版1万人、あわせて1万2400人の増加となった。「大運動」の取り組みの最大の教訓は、党への新たな期待の広がりという情勢の前向きの変化をとらえて、そこに思い切って働きかけるならば、これまでにない広範な人々が入党し、読者になってくれる状況が広がっていることである。いま強く大きな党をつくる客観的条件は大いにある。

同時に、党勢の現状は、依然として、情勢がもとめる水準にてらして、大きく立ち

遅れている。

　党員では、拡大のためのさまざまな努力が重ねられているが、2中総がよびかけた「実態のない党員」問題の解決に取り組んだ結果、党員現勢は、30万5千人となっている。「実態のない党員」問題を解決したことは、全党員が参加する党をつくろうという新たな意欲と機運をよびおこしている。同時に、「実態のない党員」を生みだした原因は、十数年におよぶ「二大政党づくり」など日本共産党抑え込みという客観的条件の困難だけに解消できるものではない。それは、「支部を主役」にすべての党員が参加し成長する党づくりの弱点を示すものであり、「二度と『実態のない党員』をつくらない」決意で、革命政党らしい支部づくり、〝温かい党〟づくりへの努力を強めよう。

　「しんぶん赤旗」の読者は、日刊紙読者の拡大に特別の努力をそそぎながら、毎月、粘り強い取り組みがすすめられているが、現在、日刊紙、日曜版読者をあわせて124万1千人となっている。前党大会比で日刊紙87・5％、日曜版85・0％の到達である。配達・集金体制の確立の努力の強化が、どこでも大切な課題となっている。

　「大運動」のなかでつくりだした、党員拡大を中心にすえた党勢拡大の前進の流れを、絶対に中断したり、後退させたりすることなく、「成長・発展目標」の実現を支える強大な党の建設にむかって、知恵と力をつくすことをよびかける。

　また、党が発行する定期雑誌の普及も、誌面改善の努力と一体にすすめていく。

㉕ 党建設の重視すべき基本方向について

　党建設の方針については、第22回党大会での規約改定をふまえ、これまでの4回の党大会決定、第25回党大会期の中央委員会総会の決定で、その基本は明らかにされている。そのことを前提に、次の諸点を重視して奮闘する。

①国民運動と党建設・党勢拡大——「車の両輪」の活動

　第一は、安倍政権の暴走とたたかう国民運動を発展させる先頭にたって奮闘することと一体に、党建設・党勢拡大の独自の追求をはかることである。

　消費税増税反対、原発ゼロ、TPP反対、米軍基地撤去、憲法擁護、秘密保護法廃止など、さまざまな分野で澎湃《ほうはい》と広がる「一点共闘」に参加し、さらに発展させるために力をそそぐ。同時に、「国民の苦難の軽減」という立党の精神にたって、国民の多様な要求と関心にこたえた、多面的な活動に取り組み、参加する。

　国民の要求実現のたたかいに取り組みつつ、党建設・党勢拡大の独自の追求をはかる「車の両輪」の活動こそ、強く大きな党をつくる大道である。すべての支部が、「政策と計画」でこの活動を具体化し、「支部が主役」で自覚的に取り組む流れを全党の大勢にしていくために力をつくす。

②「国民に溶け込み結びつく力」を強めることと一体に党建設・党勢拡大を

　第二は、「国民に溶け込み結びつく力」を強めることと一体に、党建設・党勢拡大の前進をはかることである。

　2012年総選挙から教訓を引き出した6中総決定は、「国民に溶け込み結びつく力」こそが要求活動、党建設、選挙活動など、党があらゆる活動をすすめるうえで「力の根源」になっていることを強調するとともに、①一人ひとりの党員の結びつきを、党の結びつきに発展させる、②有権者の新しい動向にそくして、新しい結びつきを広げる、③これらの努力と一体に党勢拡大の独自の努力をはかる——三つの角度での挑戦を呼びかけた。

この提起は、参院選で大きな力を発揮した。とりわけ、「マイ名簿」の取り組みは、一人ひとりの党員の生きた結びつきに光をあて、これを力にした取り組みを励ます運動として、大きな威力を発揮した。

「マイ名簿」にもとづく活動を、選挙戦にとどまらず日常化し、あらゆる活動の力にしていく。この活動を、日常的にも党との結びつきを強め、要求実現の活動への協力を呼びかけ、党勢拡大の対象者を大きく広げ、党員や読者を増やし、成果支部を広げる、基本的な活動として重視し、支部活動に定着、発展させる。

③党の全体像を丸ごと理解してもらう活動を日常不断に強める

第三は、日本共産党の路線、理念、歴史——党の全体像を丸ごと理解してもらう活動を日常不断の活動として抜本的に強化し、その努力と一体に、党建設・党勢拡大を前進させることである。

今回の参院選で日本共産党に投じてくれた515万人の人々の中には、「共産党はあまり好きではないが、期待できるのは他にないから」といった人も多数いる。そうした人々に、また参院選の結果をみてわが党に新たな期待や関心を寄せてくれている広大な人々に、「共産党を丸ごと好きになってもらう」ための取り組みを大いにすすめることを、党の躍進を本格的なものにしていくうえでの要をなす活動として、大いに重視しよう。

この取り組みを推進していくうえで、「綱領を語り、日本の前途を語り合う集い」を大中小の規模で、日常不断に、日本列島のすみずみで開くことを、党活動全体の軸にすえ、この取り組みのなかで党建設・党勢拡大の持続的前進をはかろう。

④「量とともに質を」——「綱領・古典の連続教室」、〝温かい党〟づくり

第四は、党建設において、「量とともに質を」の立場をつらぬくことである。

「綱領・古典の連続教室」の学習を、DVD視聴による学習とともに、それぞれが全3巻の書籍になるもとで本格的に取り組み、全党的な学習運動に発展させることを、第26回党大会期の一大事業に位置づける。

全党が、綱領学習とその理論的基礎である科学的社会主義の古典学習に取り組むことは、どんな複雑な政治情勢が展開しても、一人ひとりの党員が、情勢への大局的確信と未来への展望を確固としてもって活動するうえで決定的に重要である。また、広範な国民のなかに党の路線・理念・歴史など全体像を語る活動を豊かに発展させるうえでも、その不可欠の力となるのは日常不断の学習である。

党の質的強化という点では、一人ひとりの党員の初心・誇りを大切にし、おかれている条件・要求・得手を生かし、その困難や悩みに寄り添ってともに解決する〝温かい党〟——党員のだれもが「党員でよかった」と実感できる〝温かい党〟をつくるために、力をそそぐ。その最大の保障となるのは、「党生活確立の3原則（支部会議への参加、日刊紙の購読、党費の納入）」を全支部と党員のものにしていくことにあ

るが、わけても、支部指導部の確立を基礎に、週1回の支部会議を定着させ、「学び、交流し、楽しく、元気のでる」会議にする努力を払うことは、要をなすものである。あわせて、さまざまな困難から会議に参加できない同志を大切にし、温かく心が通う、連絡・連帯網をつくりあげることも重要である。新入党員教育の徹底に努力するとともに、修了後の基礎的な教育、支部長講座などをすすめる。

⑤市民道徳と社会的道義を大切にした党づくりを

第五は、市民道徳と社会的道義を大切にした党づくりに取り組むことである。党規約第5条では、党員の権利と義務の第一に、「市民道徳と社会的道義をまもり、社会にたいする責任をはたす」ことを明記している。

国民の党への理解と信頼は、党の路線、政策、理念への信頼とともに、身近に活動している党員一人ひとりの生活や言動を通じて寄せられる。党内のごく一部だが、社会のさまざまな退廃的風潮におかされ、社会的モラルに反する誤りがおこっていることは、党への信頼を傷つけ損なうものであり、克服が強く求められる。

党機関を先頭に、党規約の精神にたって、率直で活発な自己・相互批判をおこない、規律ある党生活を築き、社会進歩の促進のためにたたかう人間集団にふさわしいモラルを確立することに力をそそぐ。

(26) 全党あげて世代的継承のとりくみに力をそそごう

わが党の事業を、若い世代に継承していくことは、いま何としても打開しなければならない緊急かつ切実な大問題である。

党躍進の新しい情勢のもとで、広い視野にたち、党組織と党員のもつあらゆる結びつきを生かしてこの課題に取り組めば、新しい前進をつくりうる条件と可能性が生まれていることをとらえた、積極果敢な活動が大切である。

すべての党機関、支部・グループ、議員団が、世代的継承のための目標と計画を具体化し、この取り組みを軌道にのせることを、2010年代を民主連合政府への展望を開く時代とするうえでの戦略的大事業として位置づけて力をつくす。

①職場での党づくり――歴史的チャンスを生かそう

職場支部の継承・発展と新たな支部の建設は、日本の労働運動と統一戦線の発展にとっても、「ルールある経済社会」をつくるという綱領的課題の実現にとっても、不可欠の課題となっている。

いまの職場情勢の最大の特徴は、民間大企業の職場でも、教育・公務の職場でも、反共の壁が崩れ、日本共産党への新たな期待が広がっていることである。連合指導部による特定政党支持義務づけの矛盾と破たんも、職場での党活動を発展させる新たな条件となっている。職場での党づくりはいま、歴史的チャンスのときを迎えている。こうした劇的な変化は、わが党の政治的躍進がつくりだしたものであるとともに、職場党組織と党員が、長年にわたって反共差別とたたかい、労働者の生活と権利を守る砦《とりで》として不屈の奮闘を続けてきたなかでつくりだされた情勢であることに確信をもつことが大切である。

全国各地の職場で、雇用・労働条件改善などの要求とともに、「社会に役立つ、いい仕事がしたい」という労働者の根本的な要求を重視して人間的信頼関係を築き、党に迎え入れている経験が広がっていることは重要である。党員が、職場で自らの仕事に誇りを持ち、仲間を大切に頑張っている姿が、若い労働者に共感を広げており、ここに確信をもって大胆に働きかければ、いま職場支部の前進をかちとることは可能である。

特定政党支持路線の矛盾が激化しているもとで、「労働者のなかの党員拡大では、労働組合の違いをこえ、あらゆる労働者のなかに根をおろす。連合系の職場でも、全労連系の職場でも、党をつくったら、つくったところに根をおろして、党組織を発展させる。そして、その党組織のネットワークが、職場労働者全体の連帯のネットワークになっていくようなとりくみをおこなう」（第25回党大会3中総決定）――この方針をいまこそ本腰を入れて実践すべき歴史的な時期となっている。

この間、労働者の中での党建設を、職場支部だけの仕事でなく、全党の仕事と位置づけ、党機関、地域支部、議員団のもつあらゆる可能性・条件・結びつきを生かして、労働者を党に迎え入れ、党支部の継承・発展、空白職場に党支部をつくる意欲的取り組みが始まり、成果をあげていることはきわめて重要である。日本の階級構成の8割を占める労働者階級の中に党をつくる仕事を、文字通り全党の仕事として取り組もう。

第1回、第2回「職場問題学習・交流講座」（2006年、09年）、自治体と教職員の分野別でおこなった第3回「職場講座」（2011年）、「全国職場支部活動者会議」（2013年）には、「出発点はあいさつから」をはじめ、全国の職場支部の貴重な実践と努力のなかから教訓化された、職場支部の法則的な前進の方針が示されている。これらを職場支部の活動に生かすとともに、引き続き分野別「職場講座」を系統的に開催する。また、県・地区の職場支部援助委員会の体制充実と活動の系統的、継続的な推進に努める。

②青年・学生のなかでの党づくり――若い世代の思いにこたえた活動を

青年・学生のなかでの党建設の条件と可能性が大きく広がっている。この間、党として「特別党学校」の系統的な開催など、若い世代の幹部を育成する取り組みに力をそそいできた。そのなかで、若い幹部が成長し、全国の党機関の重要な担い手となって奮闘するとともに、国政選挙・地方選挙の候補者としても活躍し、参議院選挙が「若い世代が輝く選挙」となったことは、第一歩のきわめて重要な成果である。

いま多くの青年・学生が、政治と社会の現実に向き合い、「人の役にたちたい」「自分のできることをやりたい」とさまざまな形で運動に参加してきている。わが党がよびかけた被災地ボランティアを担った人々の半数は若い世代だった。核兵器廃絶、原発ゼロ、秘密保護法反対などの運動で、若い世代の自発的なたたかいの大きなうねりが起こっている。若者を「使い捨て」にする労働の問題、異常な高学費の問題などでも、真剣に解決の道を求めている。

そういう若者にとって、いま日本共産党が、〝若者の思いをたくせる党〟として立ち現れていることは重要である。党機関と党支部が、情勢の変化をとらえ、若い世代の思いにこたえて、多面的な活動に取り組んだところで共感が広がり、若者が党や民青同盟に結集してきている。若者の正義感、社会変革への行動力に信頼をおいて、思い切った取り組みを行うことが重要である。

この分野での前進を切り開くためには、党機関の系統的な指導性の発揮が決定的であり、党機関がこの問題を正面から議論し、知恵と力を集め、足を踏み出すなら、必ず前進を切り開くことができる。この間、新たな学生支部や民青班を確立し、学生党員を2倍近くに増やすなど前進している県党組織では、党機関が青年・学生問題で集中した議論を行い、党組織と党員がもっている若者との結びつきに光をあてるとともに、大学前での宣伝と対話活動、青年トーク集会など、青年・学生との新たな結びつきをつくる活動の先頭にたって奮闘するなかで、変化をつくりだしている。

前進している党組織に共通しているもう一つの点は、若い党員や、学生支部、民青同盟に対する綱領と科学的社会主義の学習の援助に、思い切って力を入れていることである。「綱領・古典の連続教室」の学習に、すべての青年・学生党員が取り組めるよう、党機関は力をつくす。青年・学生党員が、「しんぶん赤旗」日刊紙を購読できるよう、その置かれている条件も考慮し、懇切な援助を行う。

中央として「特別党学校」を引き続き系統的に開催することをはじめ、若い世代のなかで党の事業の後継者をつくる仕事に、さらに力をそそぐ。

(27) 党機関の指導の改善・強化、態勢の強化について

党機関の指導の改善・強化をはかり、態勢の強化をはかることは、それぞれの地域ごとに各分野の国民運動の発展をはかるうえでも、「支部が主役」で国民との結びつきを強め、党活動の新しい前進をつくりだすうえでも決定的なカギとなっている。

①党機関の指導改革――すすんだ取り組みの教訓に学んで

2中総決定は、「党機関は支部へ」「支部は国民のなかへ」として、党機関の指導改革の努力方向を提起した。この重要性をよくつかみ自覚的に努力してきた党機関では、選挙戦でも、党建設でも、たしかな前進をつくりだしている。すすんだ党機関の教訓として、次の諸点をあげることができる。

――地方政治の問題に責任を負うとともに、直接国民に働きかけるさまざまな政治活動に取り組み、地域の諸団体との交流をすすめ、住民要求実現の先頭に立ち、支部を励ます活動を重視している。

――支部に足をはこび、支部の現状を丸ごとつかんで、苦労や悩みに耳を傾け、ともに解決に力をつくすなかで、心の通い合う信頼関係を築いている。

――支部が、「政策と計画」を持つことを重視し、その実現のための自主的、自発的努力を尊重し、励ます姿勢で、よく話し合い、知恵を出し合っている。情勢と党の役割が、地域や職場でどうあらわれているか、支部と党員が確信をもってつかめるよう、政治的援助を何よりも重視している。

――国民と「溶け込み結びつく」力を、あらゆる党活動発展の「力の根源」として重視し、結びつきを生かした党員と支部の多面的な活動を援助し、国民運動、選挙戦、党建設の力にしている。

――党機関の体制強化をつねに重視し、若い役員の配置と成長、非常勤のベテラン党員の結集、補助指導機関の確立

に努力している。

これらの党機関の努力に学びつつ、指導の改革・強化の探求をさらに発展させる。

政治的力量を高めるために何よりも大切なのは、綱領と党大会決定、中央委員会総会決定について十分に時間をとって討議し、深く身につけることである。綱領を実現していく立場から、なぜこの決定が出されたのか、何がポイントなのか、その核心が〝腑《ふ》に落ち〟〝元気が出る〟ところまで討議をつくし、情勢の特徴、党の役割、活動の発展方向をしっかりとつかむことを重視してこそ、支部と党員を励まし、党活動への自覚的な参加を広げることができる。党機関の集団学習、独習はその基礎となるものである。県・地区党学校などの確立をはかる。

中央として、「地区委員長研修会」を開催するとともに、すすんだ経験から学び、困難の打開の道をともに探求するために、県・地区役員を対象に、「党機関の指導改革・全国交流会」を行う。

②党機関の指導体制と財政活動の強化が「好循環」となるように

指導機関の中核をなす常勤常任委員が減少し、中間機関の体制が弱体化していることは、あらゆる活動を促進していくうえで大きな障害となっている。党機関の活動を系統的に発展・強化するためには、専従活動家が指導中核として、日常不断に知恵と経験を蓄積して党組織の指導・援助にあたることが不可欠である。党機関の常勤常任委員を都道府県委員会は7人以上、地区委員会は3人以上にすることをめざす。

党機関の体制と活動の強化のためにも、財政の確立・強化は焦眉の課題である。党機関の長が責任をもって、党費納入の向上を軸にすえ、「財政活動の4原則（党費、機関紙誌代、募金、節約）」の一つひとつを重視して取り組むことが、この問題の前進の大道である。専従者の生活と健康、その活動を、党全体の宝として位置づけ、それを党全体で支える気風をつくる。党機関の指導体制の強化と財政活動の強化が、「好循環」の方向にすすむよう、中央と地方が一体になって力をつくす。

第6章　日本における未来社会の展望について

(28)〝社会主義をめざす国ぐに〟をどうみるか

日本共産党がめざす未来社会にかかわって、「中国と同じ社会をめざすのか」という疑問が、よく寄せられる。中国やベトナム、キューバの現状をどうみたらいいのか、日本における未来社会の展望をどうとらえるか。これは大きな問題である。

中国やベトナム、キューバの現在と今後をどう見るかという点では、つぎの二つの角度が大切である。

①〝社会主義に到達した国ぐに〟ではない

第一の角度は、これらの国ぐには、〝社会主義に到達した国ぐに〟ではなく、〝社会主義をめざす国ぐに〟――「社会主義をめざす新しい探究が開始」（綱領）された国ぐにだということである。

たとえば、中国は、経済規模では日本を抜いて、世界第2位の経済大国になり、世界経済のなかでの比重を年を追うごとに高めている。同時に、国民1人あたりの国内総生産で測ると、なお発達した資本主義国の8分の1という水準にとどまっていることも事実である。そのことは中国政府自身が、中国の現状を「大量の貧困人口を抱える発展途上国」と規定していることにも示されている。

こうして中国の場合、社会主義という以前に、社会主義の経済的土台である発達した経済そのものを建設することに迫られているのが現状である。そして、そうした経済的土台をつくる過程で、中国では市場経済を導入している。この道が合理性をもっていることは、「改革・開放」以来の中国の経済的発展が証明しているが、同時に、この道を選択すれば、国内外の資本主義が流入してくるし、そこから汚職・腐敗、社会的格差、環境破壊など、さまざまな社会問題も広がってくる。

中国の将来を展望する場合に、この国が、今後もかなり長期にわたって、貧困とのたたかい、所得格差を縮小するたたかい、発展のなかで環境を保全していくたたかい、政治体制と民主主義の問題など、さまざまな問題と格闘を続けていかなくてはならない――そういう国として見ていく必要がある。

そこには模索もあれば、失敗や試行錯誤もありうるだろう。覇権主義や大国主義が再現される危険もありうるだろう。そうした大きな誤りを犯すなら、社会主義への道から決定的に踏み外す危険すらあるだろう。私たちは、〝社会主義をめざす国ぐに〟が、旧ソ連のような致命的な誤りを、絶対に再現させないことを願っている。

わが党は、これらの国ぐにが抱えている「政治上・経済上の未解決の問題」について、内政不干渉という原則を守りながら、いうべきことは率直に伝えてきた。中国共産党指導部に対しても、中国の政治体制の将来という問題、「反日デモ問題」や「チベット問題」、尖閣諸島問題、「防空識別圏」問題などについて、節々で率直にわが党の見解を直接に伝えてきた。

②いやおうなしに資本主義国との対比が試される

第二の角度は、〝社会主義をめざす国ぐに〟が、社会の発展段階ではなお途上国に属しながらも、世界の政治と経済に占める比重は、年々大きくなるもとで、いやおうなしに資本主義国との対比が試されるようになっているということである。

「人民が主人公」という精神が現実の社会生活、政治生活にどれだけ生きているか。

経済政策の上で人民の生活の向上がどれだけ優先的な課題になっているか。

人権と自由の拡大にむけて、自身が認めた国際規範にそくした努力がなされているか。

国際活動で覇権主義を許さない世界秩序の確立にどれだけ真剣に取り組んでいるか。

核兵器廃絶、地球温暖化などの人類的課題の解決にどれだけ積極的役割を果たしているか。

　覇権主義という点でいえば、レーニンが、勝利したソビエト・ロシアが周辺諸国との関係で大国主義的な態度に陥ることを、どんなにきびしく戒めたかも、想起されなければならない重要な問題である。

　私たちは、これらの問題について、中国やベトナム、キューバが、資本主義国との対比において、「社会主義をめざす新しい探究が開始」された国ならではの先駆性を発揮することを、心から願うものである。

(29) 日本における未来社会は、きわめて豊かで壮大な展望をもっている

日本が、社会主義の道に踏み出したときには、その出発点の諸条件を考えるならば、きわめて豊かで壮大な展望が開けてくる。

　中国、ベトナム、キューバが抱える「政治上・経済上の未解決の問題」は、根本的には、これらの国の革命が、経済的・社会的・政治的に発達の遅れた状態から出発したことと不可分に結びついている。中国やベトナムは、それに加えて、外国帝国主義による侵略戦争で国土が荒廃させられたところからの出発という問題があったし、キューバには長年にわたる米国による無法な経済封鎖という問題がある。

①未来社会への移行の過程の条件 ——経済力の水準について

日本における未来社会を展望した場合には、未来社会への移行の過程の条件は、異なったものとなる。

　日本が、当面する資本主義の枠内での民主主義革命の課題をやりとげて、社会主義への道にすすむ場合には、発達した資本主義のもとでつくられた巨大な経済力の水準を引き継ぐことになる。その場合には、現在の中国社会で進行しているような経済の急成長、それにともなう社会的諸矛盾の拡大という現象は、決しておこらないだろう。

　日本経済は、現在の水準でも、日本国憲法にいう「健康で文化的な最低限度の生活」を国民すべてに十分に保障できるだけの経済力をもっている。社会の現実がそうなっていないのは、財界・大企業の横暴な支配のもとで社会的格差が拡大しているという問題にくわえて、今日の資本主義がきわだった「浪費型の経済」——繰り返される恐慌、大量生産・大量消費・大量廃棄、金融経済の異常な肥大化など——になっているためである。

　生産手段の社会化によって、資本主義に特有の「利潤第一主義」という狭い枠組みから解放され、「生産と経済の推進力」が、「資本の利潤追求から、社会および社会の構成員の物質的精神的な生活の発展」に移されるなら、人間による人間の搾取を廃止するとともに、現在の資本主義経済のこうした「浪費的な部分」は一掃されることになるだろう。そのことによって、現在の社会的生産の規模と水準でも、日本国民すべてに「健康で文化的な最低限度の生活」を十分に保障し、労働時間の抜本的な短縮を可能にすることだろう。そのことは、社会のすべての構成員の人間的発達を保障する土台となり、社会と経済の飛躍的な発展へ

の道を開くことだろう。

②未来社会への移行の過程の条件――自由と民主主義、政治体制について

自由と民主主義、政治体制という点でも、日本での社会主義の道は、中国などとは異なる道をすすむことになる。

中国、ベトナム、キューバでは、政治体制の面で、事実上の一党制をとり、それぞれの憲法で「共産党の指導性」が明記されている。これは、それぞれの国で社会主義をめざす勢力が、革命戦争という議会的でない道を通って政権についたことと関連がある。もちろん、議会的でない道を通って政権についた場合でも、レーニンがロシア革命の初期に実践したように、反対政党の禁止は一般的な革命の原則とはいえない。同時に、議会も民主主義の経験も存在しないという条件から革命が出発したことが、現在のこれらの国ぐにの政治体制のあり方と結びついていることを、見ておかなければならない。

日本では、このようなことは決して起こりえないことである。日本共産党は、当面する民主主義革命でも、将来の社会主義的変革においても、その一歩一歩を、選挙による国民の審判を受け、議会で多数を獲得することによって進むことを、綱領で宣言している。綱領には、つぎのように明記している。

「社会主義・共産主義の日本では、民主主義と自由の成果をはじめ、資本主義時代の価値ある成果のすべてが、受けつがれ、いっそう発展させられる」

「さまざまな思想・信条の自由、反対政党を含む政治活動の自由は厳格に保障される」

「『社会主義』の名のもとに、特定の政党に『指導』政党としての特権を与えたり、特定の世界観を『国定の哲学』と意義づけたりすることは、日本における社会主義の道とは無縁であり、きびしくしりぞけられる」

これが綱領が国民に約束している社会主義日本の展望であるが、これはたんに綱領上の公約というだけにとどまらない。日本のように憲法で国民主権、基本的人権がうたわれ、議会制民主主義が存在する社会を土台にするならば、未来社会において、それらが全面的に継承され、豊かに花開くことは、歴史の必然である。

発達した資本主義国から社会主義・共産主義の道に踏み出した経験を、人類はまだもっていない。この変革の事業のもつ可能性は、その出発点の諸条件を考えるならば、はかりしれない豊かさと壮大さをもつものとなるだろう。そのことに深い確信をもって、未来を展望し、前進しよう。

（「しんぶん赤旗」２０１４年1月19日付）

第26回党大会にたいする中央委員会報告

幹部会委員長　志位　和夫

1月15日報告
1月18日採択

代議員、評議員のみなさん、こんにちは。インターネット中継をご覧の全国のみなさんにも、心からのあいさつを送ります。私は、中央委員会を代表して、第26回党大会にたいする報告をおこないます。

この大会は、安倍・自公政権が、あらゆる分野で反動的暴走をすすめる一方で、国民運動が力づよく発展し、両者が激突するという情勢のもとで開かれました。

大会決議案が発表されて2カ月が経過しました。決議案は、全党討論で、全体としてきわめて積極的に受け止められ、深められました。

「自共対決」時代の本格的始まり、「世界の構造変化」と2010年代の世界の動向、安倍政権の反動的暴走と対決する各分野のたたかい、北東アジア平和協力構想、開始された躍進を本格的な流れにするための選挙戦と党建設の方針、日本における未来社会の展望など、決議案の新しい解明や提起が、新鮮な感動をもって受け止められ、党に新たな活力、展望、確信をつくりだしています。

中央委員会報告は、決議案の章ごとに、全党討論をふまえて解明が必要な問題、情勢の進展にそくして補強すべき問題を中心におこないます。

討論で寄せられた修正・補強意見については、大会の討論での意見もふまえて、一つひとつを吟味し、大会討論が終わった時点で、修正・補強した決議案を提出することにします。

決議案第1章（「自共対決」時代の本格的な始まりと日本共産党）について

まず、決議案第1章について報告します。

第1章は、日本の現在の情勢の特徴をどうつかみ、どうのぞむかについて、わが党の立場を総論的にのべた章であります。決議案第1項では、「日本の情勢は、『自共対決』時代の本格的な始まりというべき新たな時期を迎えている」と現状を規定づけました。

情勢の進展、全党討論をふまえて、いくつかの点をのべておきたいと思います。

秘密保護法をめぐる闘争は、「自共対決」の政党地図をいっそう明瞭にした

まず、強調したいのは、昨年の臨時国会での、秘密保護法をめぐる安倍政権と国民の世論と運動が真正面からぶつかりあうたたかいを通じて、すべての政党の本性があらわとなり、政党地図がいっそう明瞭となったということであります。

自民党は、日本国憲法の基本原理をことごとく蹂躙《じゅうりん》するこの希代の悪法を、5割の国民の反対の声、8割の国民の「慎重審議」を求める声を踏みつけにし、〝数の暴力〟で強行しました。市民のデモを「テロ行為」と同列視した自民党幹事長の発言は、この法案の危険な本質を明らかにするとともに、国民世論を敵視する政権党の傲慢《ごうまん》と横暴を象徴するものとなりました。公明党は、連立を組むことで「ブレーキ役になる」などと主張していましたが、その仮面がはがれ落ち、悪政の推進・加担役でしかないことがむき出しになりました。安倍政権という「車」には、ブレーキはついていません。アクセルだけが二つある（笑い）。ハンドルは右にしか回らない（笑い）。文字通りの「暴走車」であります。

野党はどうだったか。国会内の対応としては、国民の反対の声に押されて、野党が「慎重審議」を共同して求める場面もありました。同時に、それぞれが果たした役割を率直に指摘しなければなりません。維新の会、みんなの党は、与党と「修正合意」をして、希代の悪法の共同提案者となりました。「翼賛政党」としての正体を露呈し、メディアからも「すりよる野党はいらない」と手厳しい批判を受けました。民主党も、「修正」論の土俵にのり、最後まで廃

案を主張できず、野党としての仕事を果たせませんでした。

日本共産党は、希代の悪法にたいして、国民の急速な運動の広がりと一体になって、衆議院でも参議院でも真正面から反対する論戦をおこないました。法案の採決が強行された参議院本会議は、民主党、みんなの党、維新の会が退席し、討論を放棄するなかで、賛成討論をおこなったのは自民党議員、反対討論をおこなったのは共産党議員という、「自共対決」を象徴する光景となりました。

国会を包囲する市民から共産党の反対討論に「がんばれコール」がわきおこりました。ツイッターでは、「反対討論（共産党の討論）は、国会周辺で人があふれて抗議していることを訴えていた。分厚い壁の中の議場まではコールは届かないが、反対派議員がわれわれの意思を背負っていた」との共感の声がおこりました。

こうして、秘密保護法をめぐる闘争は、「自共対決」時代の始まりを浮き彫りにするものとなったのであります。

「自民党と共産党との間の『受け皿政党』が消滅した」ということについて

決議案第2項で、今日の「自共対決」の新しい特徴として、「自民党と日本共産党との間の自民党批判票の『受け皿政党』が消滅した」と指摘したことについて、全党討論で議論され、深められました。『消滅した』というが、民主党も維新の会やみんなの党も存在しているではないか」という疑問も寄せられました。

決議案で、「消滅した」といっているのは、自民党と日本共産党との間に、「自民党批判を託せる政治的立場を持つ党がなくなった」ということです。そして、戦後日本の政治史を見ても、こうした政党地図はかつてない新しいものであるということです。

１９６０年代終わりから70年代に、日本共産党が躍進した時期には、自民党と共産党との間に、社会党、公明党、民社党などの中間政党が存在し、それぞれなりに「反自民」の立場を掲げました。１９９０年代後半に、日本共産党が躍進した時期にも、自民党と共産党との間には、民主党、自由党が存在し、当時のこれらの諸党は、まがりなりにも「反自民」の旗を掲げたものでした。

ところが、今回は、そういう政党が存在しません。野党に転落した民主党は、消費税増税、原発推進、ＴＰＰ（環太平洋連携協定）推進、沖縄新基地建設など、安倍政権の暴走のどの問題をとっても、自分たちが政権についていた時期に手をつけた問題であるだけに、批判をしようとすればすべてブーメランのように自分に跳ね返ってきます。ですから、「反自民」の旗が立てられません。この党は野党としても自らの存在意義を見失っているのであります。「第三極」といわれた勢力は、自民党と「対決」するどころか、憲法改定でも、構造改革でも、公然と応援する立場をあらわにしています。こうして、決議案がのべているように、「日本共産党は自民党への批判を託せる唯一の党となっている」のであります。

今後、この政党地図がどうなるか。支配

勢力は、日本共産党の前進を抑えるために、新しい「受け皿」づくりを企てるでしょう。私たちの前途は平たんなものではないことを覚悟してのぞみたいと思います。

ただ、間違いなくいえることは、「二つの異常」――「極端な大企業中心主義の異常」、「アメリカいいなり政治の異常」の枠内にとどまるかぎり、いかに政党の離合集散をはかろうと、自民党の補完勢力になるしかない、「反自民」の旗を立てることは決してできないということであります。そのことはすでに、「二大政党づくり」と「第三極」の破たんが証明しているではありませんか。

「二つの異常」を根本からただす立場に立つ党でこそ、自民党政治への真の対決者の党になれるということを、私は、強調したいと思うのであります。（拍手）

「『自共対決』といっても力に差がありすぎるのでは」という議論について

全党討論のなかでは、「『自共対決』といっても力に差がありすぎるのでは」という議論も出され、深められました。

この点については、三つの点を強調したいと思います。

第一は、国会内の力関係だけでみないで、社会全体の力関係をとらえようということであります。秘密保護法に反対する世論と運動の急速な広がりは、日本国民の中に平和と民主主義を求める巨大なエネルギーが存在していることを示しました。安倍政権の暴走は、「海外で戦争する国」づくり、靖国参拝、沖縄基地問題、原発問題、消費税増税、TPP問題など、どの問題をとっても、国民多数の声に背き、世界の流れに背く逆流であります。みなさん、どんな問題でも、日本共産党が、国民多数派の立場に立つ党であることに確信をもって、たたかいにのぞもうではありませんか。（拍手）

第二は、参議院選挙での日本共産党の躍進が新しい変化をつくっていることをとらえようということであります。躍進は、わが党の国会活動に質的な変化をもたらしました。臨時国会で、日本共産党は、参院本会議で15回もの質疑・討論をおこないました。躍進がなければ、本会議での質疑も討論もありませんでした。日本共産党は、新たに獲得した議案提案権を行使して、ブラック企業規制法案を提出しましたが、これは社会的反響をよび、厚生労働省に、違法行為への取り締まりの強化、離職者数の公表を実施させるなど、法案の内容が部分的ではありますが実現し、現実政治を動かしつつあります。みなさん、全党の奮闘でつくったこの変化に確信をもとうではありませんか。（拍手）

第三に、もちろん、自民党と共産党との間に、国会勢力としても、政治的影響力でも、大きな差があることは、いうまでもありません。この点で、決議案第1章にかかわる全党討論の結論が、多くの場合、「この党をもっと大きくしよう」となっていることは、たいへん重要だと思います。

決議案は、「二つの異常」を特徴とする政治が「崩壊的危機におちいっている」とのべていますが、これは、古い自民党政治の枠組みを続けていては、日本社会がもはや立ち行かなくなり、社会の土台から壊れていくことになることを表現したものであって、自民党政治そのものは、どんなに行き詰まっても「自動崩壊」することはありません。社会変革の主体である国民の政治的認識が成長・発展し、日本共産党が国政で躍進を重ねてこそ、日本の社会変革の道は開かれることを銘記して奮闘したいと思います。

みなさん。自民党政治に真正面から「対決」し、国民の立場に立った抜本的な「対案」を示し、国民のたたかいとの「共同」を広げる――この三つの政治姿勢を堅持した奮闘で、実力のうえでも「自共対決」という時代を開こうではありませんか。（拍手）

決議案第2章（世界の動きをどうとらえ、どう働きかけるか）について

つぎに、決議案第2章について報告します。

第2章は、20世紀におこった「世界の構造変化」が、「世界の平和と社会進歩を促進する力として、生きた力を発揮しだした」と規定しています。

綱領は、20世紀におこった「人類史の上でも画期をなす巨大な変化」を、植民地体制の完全な崩壊、国民主権の民主主義の流れ、平和の国際秩序の建設――の三つの角度から明らかにしています。そのなかでも、植民地体制の崩壊と、１００を超える国ぐにが新たに政治的独立をかちとって主権国家になったことは、最大の変化であり、まさに「世界の構造変化」とよぶにふさわしいものでありました。

この変化自体は、20世紀に進行したものですが、２０１０年代に入って、それが国際政治を動かす力として「生きた力を発揮しだした」――決議案は、現代の世界をとらえるさいに、こうした特徴づけをおこなっています。

世界の変化という場合、10年間というスケールで見ると、大局的変化がはっきりと見えてきます。報告では、そのことをつぎの五つの角度から見てみたいと思います。

「国連憲章にもとづく平和の国際秩序」をめざす流れが大きく発展した

第一は、「国連憲章にもとづく平和の国際秩序」をめざす流れが大きく発展したと

いうことであります。

11年前の2003年、米国など一部の諸国は、国連安保理事会の決議もないまま、無法なイラク戦争にのりだしました。しかし、この無法な戦争は、世界の平和秩序を前にすすめる重大な契機ともなりました。米国のイラク戦争に反対して、世界各地で空前の人々が声をあげ、立ち上がりました。世界の約7割もの国ぐにが反対の声をあげ、そのなかには、ドイツ、フランス、カナダなど、米国の同盟国も含まれました。「国連憲章のルールを守れ」という主張が、根本的要求として共有され、この流れは目覚ましい成長をとげました。

それから10年後の2013年、アメリカなどがおこなおうとしたシリアへの軍事介入は、イラク戦争とは対照的な結果となりました。軍事介入は、国際世論の包囲によって阻止され、問題は国連にゆだねられ、外交的解決が選択されました。これは、どんな大国といえども、国連を無視した無法な侵略戦争を簡単には強行できない時代となったことを、象徴する出来事となりました。

10年間という単位で見れば、世界の平和秩序は、着実な前進を見せています。この前進をつくったのは、各国人民のたたかいであります。みなさん、そのことを確信をもってつかみ、平和の流れをさらに発展させるために力をつくそうではありませんか。（拍手）

米国自身におこった変化――軍事的覇権主義とともに、外交交渉による対応も

第二は、米国自身におこった変化であります。

2001年に起きた9・11同時多発テロにさいして、ブッシュ大統領（当時）は、2002年年頭の一般教書演説で、北朝鮮、イラン、イラクを「悪の枢軸」と名指しし、無法な先制攻撃を宣言しました。

この時期の米国の世界戦略は、国連を無視した単独行動主義、むきだしの先制攻撃戦略、軍事力によって都合のよい政権を押しつける新しい植民地主義、核兵器の一方的使用戦略など、軍事的覇権主義一色に塗り固められたものでした。10年前、2004年に開催された日本共産党第23回大会決議では、その特徴について次のようにのべました。

「まさにいま米国は、『戦争と抑圧の国際秩序』を世界に押しつけようとしている。ここにあるのは、〝一国覇権主義の暴走〟ともいうべき世界支配のむきだしの野望である」。「米国が、いかに比類ない軍事力を持っていたとしても、軍事力にのみ依拠した『国際秩序』などは、決してつくれるものではない」。「米国のつきすすんでいる一国覇権主義の道には、決して未来はない」。

事態は、わが党が見通した通りになりました。イラク戦争は、甚大な人的犠牲と物的破壊をもたらして深刻な破たんに直面しました。そうしたもとで、軍事的覇権主義一本やりでは通用しなくなり、ブッシュ政権2期目以降、米国の世界戦略に変化が生まれてきました。すなわち、「軍事的覇権主義に固執しつつ、国際問題を外交交渉によって解決する」という「二つの側面」があらわれてきました。わが党は、綱領にそくして、そうした米国の変化を、第24回党

大会決議、第25回党大会決議で分析してきました。

決議案第6項は、米国・オバマ政権が、現在とっている世界戦略について、つぎのようにのべています。

「この4年間の米国・オバマ政権の世界戦略の展開は、アメリカの国際的影響力の相対的低下傾向をともないながら、前回党大会が指摘した二つの側面が継続していることを示している。すなわち、オバマ政権は、歴代米国政権の基本路線である軍事的覇権主義の立場を継承・固執しつつ、多国間・2国間の外交交渉による問題解決に一定の比重をおくという世界戦略をとっている」。

もちろん、オバマ政権が、軍事的覇権主義に固執し、先制攻撃戦略を依然として選択肢としていること、さらに、この政権がすすめている外交戦略も、大局的に見れば、米国の影響力の確保という覇権主義の戦略の一環としてすすめられていること――すなわちアメリカ帝国主義の本質に変わりはないことを直視しなくてはなりません。

同時に、米国ですら、軍事力一本やりではやっていけなくなったのは、この10年間の大きな変化であります。そして、米国に変化をもたらしたのは、平和と社会進歩を求める各国人民のたたかいであったということを、私は、強調したいのであります。

平和の地域共同体――この10年間の目覚ましい発展

第三は、平和の地域共同体の発展であります。ここでも、この10年間の発展は目覚ましいものがあります。

一つは、東南アジア諸国連合（ASEAN）の発展です。ASEANが取り組んでいる平和の枠組みの基本に、東南アジア友好協力条約（TAC）があります。TACは、1976年に締結され、武力行使の放棄と紛争の平和解決などを掲げ、まずASEAN域内諸国の関係を律する平和のルールとしてつくられました。ASEANは、1987年にTACを域内の行動規範にとどめず、域外の諸国に批准を促していく方針を定めました。この動きが飛躍的にすすんだのは、この10年間であります。TAC加入国は、2003年には、11カ国、人口で5・4億人、世界人口に対する比率は8・5％でした。それが、ユーラシア大陸のほぼ全体、オセアニア、北アメリカにまで広がり、2013年には、57カ国、人口で51・5億人、世界人口の72％へと飛躍的に増大しました。こうして東南アジアは、世界とアジアの平和の一大源泉となっているのであります。

いま一つ、中南米カリブ海諸国共同体（CELAC）の創設も歴史的意義をもつものです。2010年、中南米カリブ海の33の諸国のすべてが参加した統一首脳会議でCELACの設立が宣言され、2013年1月に第1回首脳会議が開かれました。

アメリカのケリー国務長官は、昨年11月、ワシントンの米州機構（OAS）本部でのラテンアメリカ諸国の代表を前にした演説で、米国がラテンアメリカへの介入を宣言した1823年の「モンロー・ドクトリン」について、歴代大統領がそれを強化してきたことを認めたうえで、その「時代は終わった」とし、「互いを平等とみなす」ことなどを特徴とする新しい関係の構築を強調しました。米国政府が、ラテンアメリカを自国の「裏庭」とみなして、干渉と介入をほしいままにした「モンロー・ドクトリン」の終結を公式に表明したのは、初めてのことであります。

軍事ブロックのように外部に仮想敵を設けず、地域のすべての国を迎え入れるとともに、世界に開かれた、平和の地域共同体が、世界各地で目覚ましい発展をとげているのは、世界の平和と社会進歩にとっての大きな希望であります。（拍手）

一握りの先進国が世界経済を牛耳っていた時代は過去のものとなった

第四は、世界の経済秩序の変化であります。

かつての世界では、米国政府・国際通貨基金（ＩＭＦ）・世界銀行が「司令塔」となり、「先進国サミット」（Ｇ８）を主要な舞台として、世界全体を支配するという古い経済秩序が横行していました。

ＩＭＦや世界銀行が中心になって、「ワシントン・コンセンサス（合意）」の押しつけ――緊縮政策や大規模な民営化を融資条件とする構造改革、資本自由化など「新自由主義」の押しつけが猛威を振るいました。

しかし、この路線は、東南アジアでも、ラテンアメリカでも大破たんに陥り、それぞれで自主的な地域共同体づくりを促す結果となりました。

こうした一握りの先進国主導の古い経済秩序が、決定的に立ち行かなくなったのが、２００８年のリーマン・ショックを契機にした世界経済危機であります。

世界銀行のゼーリック総裁（当時）は、２０１０年９月の講演で、「世界的な金融危機によって、これまでの開発経済学では役に立たないことが示された」、「多極化した新たな世界経済には、多極化した知見が必要だ」、「われわれは開発経済学の民主化をはからなければならない」とのべました。「多極化した新たな世界経済」では、これまで世界銀行やＩＭＦが押しつけてきた政策が「役に立たない」ものとなり、「民主化」が必要になっている――押しつけてきた当事者である世界銀行の総裁から、こうした認識が語られたことは、まさに変化を象徴するものであります。

「Ｇ８」の時代は終焉《しゅうえん》し、新興国・途上国を含めた「Ｇ20」が、国際問題を議論する中核的な会議体として登場しました。さらに、「Ｇ20」の限界も指摘されるようになり、国際的な経済問題への対応は、「最大の合法性」をもつ国連を中心とした枠組みでおこなうべきだとする提案――「Ｇ192」が提唱されました。

これは、20世紀におこった「世界の構造変化」と、新興国・途上国の世界経済に占める比重が年を追うごとに高まっていることを背景にした、逆戻りすることのない変化であります。ＩＭＦの推計によりますと、２０１３年に、新興国・途上国を構成する約１５０カ国の購買力平価（ＰＰＰ）ベースでのＧＤＰ（国内総生産）は43・７兆ドルと、先進35カ国・地域の42・９兆ドルを初めて上回りました。

一部の発達した資本主義国が世界経済を牛耳っていた時代は、もはや過去のものとなりました。そして、決議案が指摘しているように、国際経済における民主的ルールを確立し、多国籍企業化した大企業への国際的な民主的規制をおこなうことが、諸国民のたたかいの緊急の課題として日程にのぼる新しい時代を迎えているのであります。

「核兵器のない世界」をめざして——前向きの変化と、今日の対決点

第五は、「核兵器のない世界」をめざすたたかいの発展であります。

ここには、核兵器固執勢力と核兵器廃絶を求める勢力との、激しいたたかいの歴史があります。

２０００年の核不拡散条約（ＮＰＴ）再検討会議は、「自国核兵器の完全廃絶を達成するという全核保有国の明確な約束」を確認するという到達点を築きました。

しかし、ブッシュ政権はこの合意を無視し、２００５年のＮＰＴ再検討会議では、核不拡散の問題だけをとりあげ、核軍縮の課題の前進についての議論を拒否しました。核兵器廃絶の「明確な約束」をはじめ、いったんは米国政府も合意した課題にもことごとく反対し、最終文書をまとめられないまま閉幕するという失敗に終わりました。

しかし、被爆者を先頭とする日本と世界の運動が、ここでも逆流を乗り越えて前向きの変化をつくりだしました。２０１０年のＮＰＴ再検討会議は、「核兵器のない世界」を実現するために、「必要な枠組みを確立する特別な取り組みをおこなう」ことを確認し、核兵器禁止条約の国際交渉に道を開く到達を築きました。

国際世論と運動による包囲によって、「核兵器のない世界」の実現が、核保有国も含む共同の目標となるもとで、核兵器禁止条約の緊急の交渉開始か、「段階的アプローチ」の名で核兵器廃絶を永久に先送りするのかが、いま鋭い対決点として浮上しています。

昨年の国連総会は、その対決の舞台となりました。

非同盟諸国は、核兵器の非人道性、残虐性に注目しつつ、核兵器を禁止し廃絶するための包括的な条約の「早期締結」のための交渉を「緊急に開始」することを求める国連総会決議案を提出し、昨年12月、決議案は、加盟国の3分の2を超える１３７カ国という圧倒的多数の賛成で採択されました。

米英仏は、この決議に反対して共同声明を出し、「われわれは、実際的で段階的な接近（アプローチ）こそ、世界の安全と安定を維持しながら、軍縮努力で本当に前進する唯一のやり方であると確信している」と、反対理由をのべました。「段階的なアプローチ」論は、核兵器の「究極」廃絶論が破たんして、「核兵器廃絶の明確な約束」をせざるをえなくなっている核保有国が、一方で「核兵器のない世界」をとなえながら、実際には、核兵器保有に固執する最後のよりどころとしているものであります。

しかし、フィリピンのガルシア副外相が、「『段階的なアプローチ』を支持して、

核兵器全面廃絶の明確なスケジュール設定を拒否することは、怠慢ということと同義だ」とのべたように、それは、核兵器禁止条約の緊急の交渉開始を求める圧倒的多数の国際世論に背くものにほかなりません。

核兵器固執勢力は、核兵器の「究極」廃絶論が破たんし、「核兵器廃絶の明確な約束」に縛られ、大局的には追いつめられつつあります。

その時に、日本政府が、「段階的なアプローチ」論に同調して、核兵器禁止条約の交渉開始を求める国連総会決議に棄権していることは、被爆国政府にあるまじき、あまりにも情けない態度といわなければなりません。（拍手）

日本共産党は、被爆70周年の２０１５年に開かれるNPT再検討会議で、「核兵器禁止条約の交渉開始」が国際社会の合意になるよう、日本と世界の反核運動と連帯し、被爆国の政党として全力をあげて奮闘するものであります。（拍手）

平和と社会進歩への歴史的変化——世界史の本流にたつ日本共産党の立場

五つの角度から、この10年間の変化を見てきました。もちろん、世界の動きは、さまざまな逆行、試行錯誤、複雑さをはらんでいます。しかし、10年というスケールでその大局をとらえるならば、平和と社会進歩への歴史的変化が進行していることがはっきりと浮き彫りになってくるではありませんか。

そして、この変化にてらすならば、「海外で戦争する国」づくりをめざす安倍政権のたくらみが、いかに世界の流れに背く時代錯誤の逆流であるかが、歴然としてくるではありませんか。（拍手）

日本共産党の立場こそ、世界史の本流に立つものであり、未来あるものであります。みなさん、ここに深い確信をもって、世界の平和と社会進歩のために、力をつくそうではありませんか。（拍手）

決議案第3章（自民党政権の反動的暴走と対決し、新しい日本をめざす）について

つぎに、決議案第3章について報告します。

第3章は、安倍・自公政権の反動的暴走と対決し、新しい日本をめざす、直面するたたかいの諸課題を提起しています。

安倍政権の暴走の一歩一歩が、国民との矛盾、世界との矛盾を深めつつある

まず決議案第12項は、安倍・自公政権について、「この内閣の基盤はきわめてもろく、深刻な矛盾をはらんでいる」、「安倍政権の暴走の具体化の一歩一歩が、多数の民意に逆らうものであり、国民とのあいだでの矛盾を深めつつある」とのべています。

この間の暴走につぐ暴走――安倍政権の「終わりの始まり」

決議案発表から2カ月、この指摘通りの情勢が展開しています。昨年末から今年にかけての安倍政権の暴走につぐ暴走は、この政権の国民との矛盾、さらには世界との矛盾を劇的に拡大するものとなりました。

国民多数の声を押しつぶしての秘密保護法の強行は、多くの国民の批判と怒りをまねき、安倍政権の「終わりの始まり」を告げる出来事となりました。

この内閣が強行しようとしている集団的自衛権行使と「海外で戦争する国」づくり、沖縄選出自民党国会議員と県知事を裏切らせての新基地建設のごり押し、日本社会を「3・11」以前の〝原発依存社会〟に逆行させる原発再稼働、消費税大増税と社会保障切り捨て、TPP推進など、そのすべてが国民多数の声に逆らうものであります。

直近の世論調査では、安倍内閣の暴政と国民との矛盾がとりわけ集中している北海道、福島県、沖縄県で、内閣不支持率が支持率を上回りました。これはこの内閣の運命を先取り的に示すものにほかなりません。（拍手）

戦後の保守政治が掲げてきた諸原則すら否定する右翼的反動的立場

とりわけ重大なのは、この内閣が、戦後の保守政治が掲げてきた諸原則すら否定する特異な右翼的反動的立場に立っていることであります。

安倍内閣の「海外で戦争する国」への暴走は、憲法原理を覆す秘密保護法、解釈改憲による集団的自衛権行使、「専守防衛」すら投げ捨てる自衛隊の海外派兵の軍隊への大改造、憲法の平和主義・基本的人権を根底から否定する憲法改定案など、戦後、保守政治がまがりなりにも掲げてきた諸原則すら、ことごとく否定するものとなっています。

保守の立場に立つある作家からも、「今の自民党は、保守政党じゃなくて右翼化した全体主義政党」という批判が起こり、元自民党幹部や自民党に支持を寄せてきた広範な保守の立場の人々からも、この道はとうてい容認できないという声が起こっていることは、決して偶然ではありません。

こうした特異な右翼的反動的立場にたいして、海外からも異質な時代逆行という警戒と批判が広がっています。秘密保護法の強行をうけて、アメリカの新聞・ニューヨーク・タイムズは、「日本の危険な時代錯誤ぶり」と題する社説を書きました。イギリスの新聞・ガーディアンは、「日本帝国主義への回帰か」と書きました。ドイツの新聞・ターゲス・シュピーゲルは、「日

本は武士の時代に逆戻りした」（笑い）と書きました。安倍内閣の暴走は、国民との矛盾を広げているだけでなく、世界の目から見ても時代逆行、時代錯誤というほかないものなのであります。

首相の靖国参拝――国内外から強い批判が広がる

さらに深刻な問題は、安倍内閣が、過去の侵略戦争を肯定・美化する「靖国」派内閣としての正体をあらわにしたことであります。

安倍晋三首相は、昨年12月26日、靖国神社参拝を強行しました。

靖国神社は、戦争中は、国民を戦場に動員する役割をになった神社でありました。「戦争で死んだら靖国神社で神としてまつられる」、これが軍人にとって最大の栄誉だとされたのです。そして、この神社は、現在も、日本軍国主義による侵略戦争を、「自存自衛の正義のたたかい」、「アジア解放の戦争」と美化し、宣伝することを存在意義とする特殊な施設となっています。侵略戦争を引き起こした罪に問われたA級戦犯が、連合軍による一方的な裁判で濡《ぬ》れ衣《ぎぬ》を着せられた犠牲者として合祀《ごうし》されています。

この施設に首相が参拝することは、侵略戦争を肯定・美化する立場に自らの身を置くことを、世界に向かって宣言することにほかなりません。

首相は、「不戦の誓い」をしたと弁明しましたが、「不戦の誓い」に最もふさわしくない場所が、靖国神社なのであります。（拍手）

第2次世界大戦後の国際秩序は、日独伊による侵略戦争を不正不義のものと断罪することを共通の土台としています。首相の行動は、今日の国際秩序に正面から挑戦するものであり、断じて許されるものではありません。（拍手）

首相の靖国参拝にたいして国内外から強い批判が広がっています。中国政府、韓国政府は、きびしい抗議を表明しました。米国政府も「失望した」との異例の批判をおこないました。さらに批判は、国連事務総長、欧州連合、ロシア政府、シンガポール政府などにも広がりました。安倍首相は、自らがよって立つ特殊な右翼的勢力――「靖国」派に媚《こ》びを売る行動によって、文字通り、世界全体を敵にまわし、とりわけ近隣諸国との友好という日本の国益を大きく損なったということを、きびしく指摘しなければなりません。

日本共産党は、侵略戦争と植民地支配に命がけで反対を貫いた党として、歴史問題での逆流を日本の政治から一掃するために全力をあげるものであります。（拍手）

暴走の先に未来はない――国民との共同を広げ、正面から対決してたたかう

決議案はつぎのように指摘しています。

「安倍政権の暴走は、危険きわまりないものであるが、恐れる必要はない。この暴走の先に未来はない。この暴走が、早晩、深刻な政治的激動、政治的危機を引き起こすことは、疑いないことである」。

この指摘は、早くも現実のものとなりつつあります。

国民多数の声に背き、世界の流れに背く、安倍政権に未来はありません。

みなさん。その暴走と正面から対決し、あらゆる分野で危機打開の対案を示し、国民との共同を広げて奮闘しようではありませんか。（拍手）

東日本大震災からの復興――国民のたたかいで災害対策のまともなルールを

決議案第13項は、東日本大震災からの復興についてのべています。

未曽有の大震災から3年がたとうとしています。被災地では懸命の努力が重ねられていますが、いまだに多くの被災者が不自由な仮設住宅などの避難生活から抜け出せず、先の見通しがたたない生活を強いられています。被災地では人口流出も深刻さを増しています。決議案は、東日本大震災からの復興を「国政上の最優先課題」「日本の政治のゆがみをただす事業」と位置づけ、取り組みの方向を示しました。

強調したいのは、被災者と国民の連帯したたたかいこそが、災害対策のまともなルールをつくる力であるということであります。阪神・淡路大震災の被災者が起こした運動は、住宅再建への支援制度を新たにつくらせました。東日本大震災にさいしても、被災地のたたかいによって、被災した事業者を直接支援するものとしてグループ補助の制度などが新設されました。まだまだ不十分ですが、被災者と国民の連帯したたたかいこそが、前途を開く力であるということを、強調したいと思うのであります。

決議案は、「『個人財産の形成になる』といって、住宅、商店、工場、医療機関などの復旧を支援しないという旧来の災害対策の『原則』を取り払い、住宅と生業《なりわい》の再建に必要な公的支援を行うことを、復興の基本原則にすえることを求める」とのべています。

いま東日本大震災の被災者の生活と生業の再建のために、住宅再建の支援制度の充実、二重ローン問題の解決、用地確保のための特例措置など、国の姿勢を変え、従来の枠にとらわれない災害対策のまともなルールをつくることは、現に苦しんでいる被災者にとって切実な課題であるだけでなく、災害が多発する日本列島において国民の命と安全を守るうえで、将来にわたって重要な意義をもつものであります。

日本共産党は、政府にたいして旧来の災害対策からの転換を強く求めるとともに、党としての支援活動をさらに継続していきます。全国の党組織・民主勢力のみなさんのこれまでの支援活動に敬意と感謝をのべるとともに、引き続きの支援を心から訴えるものであります。（拍手）

暮らしと経済をめぐるたたかい――対決の熱い焦点について

決議案第14項は、暮らしと経済をめぐるたたかいについてのべています。

決議案は、安倍政権が「アベノミクス」の名ですすめている経済政策について、『大企業を応援し、大企業がもうけをあげれば、いずれは雇用、賃金、家計にまわってくる』という、古い破たんした『トリクルダウン』の理論――〝おこぼれ経済学〟にほかならない。これが、日本経済に『好循環』をもたらすどころか、衰退の『悪循環』しかもたらさなかったことは、すでに事実が証明している」と批判しています。

そのうえで、わが党の抜本的対案を、つぎの四つの柱で示しています。

第一に、働く人の所得を増やす経済改革で経済危機を打開する。

第二に、消費税大増税に反対し、税財政と経済の民主的改革で財源をまかなう。

第三に、社会保障の解体攻撃とたたかい、社会保障再生、拡充をはかる。

第四に、内需主導の健全な成長をもたらす産業政策への転換をはかる。

この四つの柱であります。

報告では、決議案の提起を前提にして、暮らしと経済をめぐる直面するたたかいの熱い焦点についてのべます。

消費税大増税に反対するたたかい――増税の論拠は総崩れになっている

まず、消費税大増税に反対するたたかいについて報告します。

決議案は、消費税大増税が強行されれば、「国民の暮らしにはかりしれない深刻な打撃をもたらし、経済も財政も共倒れの破たんに追い込まれることは明らかである」とのべましたが、その後の情勢は、この指摘が的を射たものであることを浮き彫りにしています。

「アベノミクス」の本性はすでにあらわとなり、日本経済は、危険な水域に入っています。異常な金融緩和によって株価は上がりましたが、庶民への恩恵はなく、円安による燃料と原材料、生活必需品の値上げが家計と中小企業の営業を苦しめています。２０１３年7～9月期のＧＤＰの実質成長率は、年率換算で１・１％にとどまり、1～3月期の4・5％、4～6月期の3・6％を大幅に下回り、経済の減速傾向が明瞭になりました。しかも、その中身を見ますと、家計消費や設備投資は低迷し、ＧＤＰの伸びをかろうじて支えているのは、消費税増税を前にした住宅建設などの駆け込み需要と、補正予算による公共事業という状況です。何よりも働く人の賃金は減り続けています。

このような経済情勢のもとで、消費税増税で8兆円、社会保障の負担増・給付減を合わせれば10兆円もの史上空前の負担増を強行するならば、どうなるか。国民の暮らしに大打撃をあたえ、日本経済を壊し、財政も共倒れの大破たんをもたらすことは必至であることを、強く警告しなくてはなりません。

消費税大増税の一方で、大企業には大盤振る舞いの減税がおこなわれようとしています。復興特別法人税の1年前倒しでの廃止につづき、法人税率の引き下げが計画されています。「国土強靱《きょうじん》化」の名で、東京外郭環状道路をはじめ三大都市圏環状道路、国際コンテナ港湾など、巨大公共事業に、巨額の税金が投入されようとしています。今後5年間に約24兆６７００億円の軍事費をつぎ込む、大軍拡の道に踏み出そうとしています。

結局、消費税大増税は、「財政再建のため」でも、「社会保障のため」でもない。消費税増税で吸い上げた税金を、大企業減税と巨大開発、軍拡予算に流し込む――これこそ真実であることが、浮き彫りになっているではありませんか。

消費税増税の論拠は、総崩れになっています。

みなさん。「4月からの消費税増税の中止」の一点で、国民的共同を広げ、増税の実施を阻止するために、最後まで力をつくそうではありませんか。（拍手）

日本共産党の「経済提言」は、消費税に頼らずに、現在の経済、財政、社会保障の危機を一体的に打開する唯一の道を指し示すものです。わが党は、この抜本的対案を高く掲げて奮闘するものであります。（拍手）

雇用大破壊の逆流を許さず、賃上げと安定した雇用の拡大を

つぎに、雇用大破壊の逆流を許さず、賃上げと安定した雇用の拡大を求めるたたかいについて報告します。

安倍政権は、「世界で一番企業が活躍しやすい国」のスローガンのもと、正社員にも、非正規社員にも、不安定雇用を広げ、賃下げと労働条件悪化をもたらす、雇用大破壊の逆流を押しつけようとしています。その特徴は、次の通りであります。

――一つは、非正規雇用の拡大と固定化をすすめることです。「派遣労働を常用雇用の代替にしてはならない」という大原則をくつがえし、企業が派遣を「常用」できるようにする労働者派遣法の大改悪がすすめられようとしています。派遣労働者に〝生涯派遣で低賃金〟のまま働き続けることを強いる仕組みへの大改悪であります。

――二つは、「残業代ゼロ」の合法化です。何時間残業しても8時間労働とみなす裁量労働制の拡大、一定年収以上の労働者の残業代をゼロにする「ホワイトカラー・エグゼンプション」の導入などがねらわれています。

――三つは、解雇自由への規制緩和です。仕事内容や勤務地などが限定され、クビにしやすい「限定正社員」制度の法制化、不当解雇であっても企業が金さえ払えば労働者をクビにできる〝解雇の金銭的解決〟の導入などがすすめられようとしています。

安倍政権の労働法制大改悪は、自らの「賃上げ」発言にも真っ向から反する、「賃下げ促進」政策にほかなりません。労働者の生活と権利を破壊し、日本社会の総ブラック企業化をすすめる雇用大破壊の逆流を、断固として拒否しようではありませんか。（拍手）

賃上げは、労働者の切実な要求であるとともに、日本経済の危機打開にむけた国民的課題になっており、その必要性は、政府も含めて否定できなくなっています。安定した雇用を増やすことは、日本の経済と社会の健全な発展のためにも、いよいよ重要となっており、これも国民的課題であります。

労働法制の大改悪に反対し、賃上げと安定した雇用の拡大を求める労働者のたたかいが、労働運動のナショナルセンターの違いを超えた共同へと発展しつつあることは、重要であります。昨年12月には、日本弁護士連合会が主催し、労働法制の規制緩和反対を掲げて、全労連、連合、全労協、純中立などの労働組合が勢ぞろいした画期的集会が取り組まれましたが、これは１９８９年に二つのナショナルセンターが結成されて以来、初めての出来事となりました。

いまこそ、ナショナルセンターの違いを超えた、大きな共同で、逆流をはねかえし、賃上げと安定した雇用の拡大をすすめようではありませんか。正規も、非正規も、民間も、公務も、ナショナルセンターや労働組合の違いを超えた共同を発展させ、国民各層との連帯を広げ、このたたかいに勝利しようではありませんか。（拍手）

社会保障の解体攻撃とたたかい、社会保障再生、拡充をはかる

つぎに、社会保障の解体攻撃とたたか

い、社会保障再生、拡充を求めるたたかいについて報告します。

安倍・自公政権は、昨年の臨時国会で、「社会保障制度改革プログラム法案」と生活保護法改悪案を強行・成立させました。今年以降、「プログラム法」に書いた〝スケジュール〟にそって、医療・介護・年金・保育など、社会保障の全分野での改悪を具体化しようとしています。この分野でも本格的な激突が始まります。

決議案は、安倍政権が推進する「社会保障制度改革」について、「『制度改革』の基本を『国民の自助・自立のための環境整備』とし、憲法25条に基づく社会保障を解体して、公的支えをなくし、国民を無理やり『自助』に追い込むというもの」と批判しました。「プログラム法」が列記した「改革案」の中身は、いずれも、この指摘を裏付ける改悪案のオンパレードとなっています。

――医療では、70～74歳の窓口負担の2倍化、「都道府県単位化」の名による国保料（税）の大幅値上げなど、さらなる国民負担増が打ち出されています。入院食費の患者負担の引き上げ、入院患者の〝追い出し〟促進にむけた新たな病床再編計画の策定など、入院医療を狙い撃ちにする制度改悪も計画されています。これは「医療崩壊」を加速し、国民の命と健康を脅かす大改悪にほかなりません。

――介護では、「要支援者」から訪問介護と通所介護を取り上げ、特別養護老人ホームから要介護1、2の人を締め出し、在宅でも施設でも利用料の大負担増をすすめるなど、「介護難民」を政府自ら増やしていく方向が明記されています。

――年金では、２０１３年度から実施されている2・5％削減をすすめるとともに、「マクロ経済スライド」を発動し、毎年1％＝５０００億円もの支給削減を連続的におこなっていくことがうたわれています。さらに、年金支給開始年齢の68歳、70歳などへの先送りも検討課題にあげられています。

――保育では、株式会社の参入促進、人員配置基準・面積基準・安全基準の緩和など、保育の営利化、規制緩和をすすめようとしています。「安心して預けられる認可保育所の大幅増設」という保護者の願いに背を向け、保育への公的責任の後退と、〝安上がり化〟をすすめるものであります。

「プログラム法」に列記された負担増・給付減は、試算できるものだけで3兆円を超えます。文字通り、史上空前の規模での社会保障解体攻撃であります。

国民の反撃も始まっています。生活保護改悪に対しては、日弁連、司法書士会、ソーシャルワーカー協会なども反対を表明しました。介護保険改悪に対しては、介護事業所・施設の団体、厚生労働省に協力してきたNPOや有識者からも批判が続出しています。年金削減に対しては、10万人の不服審査を組織する運動がはじまり、生活保護削減に対しては、バッシングに抗して受給者1万人が不服審査に立ち上がっています。

決議案がのべているように、自公政権が社会保障切り捨ての常とう手段としているのは、「高齢者と現役世代」、「給付を受けている人と受けていない人」など、「国民の中に対立と分断を持ち込み、『いじめ』と『たたきあい』を広げる攻撃」であります。

みなさん。この卑劣な攻撃を、社会的連帯の力ではねかえし、憲法25条を生かした

社会保障の再生・充実をたたかいとろうではありませんか。（拍手）

原発推進政策に反対し、「即時原発ゼロ」をめざすたたかい

決議案第15項は、「原発ゼロの日本」をめざすたたかいについてのべています。原発推進への暴走を許すのか、原発ゼロに道を開くのかは、国政の熱い対決の焦点の一つとなっています。

「即時原発ゼロ」の政治決断こそ、もっとも現実的で責任ある態度

政府は、昨年12月、原発を「基盤となる重要なベース電源」として、将来にわたって維持・推進し、「再稼働を進める」とした、「エネルギー基本計画案」を発表し、閣議決定しようとしています。これは、民主党政権時に定めた「2030年代に原発ゼロ」という政府としての目標すら投げ捨てる、あからさまな原発推進宣言であります。

こうした政府の姿勢を受けて、全国の48基の原発のうち16基が再稼働の申請をおこなっており、さらに再稼働申請の動きが広がるとみられます。青森県・六ケ所村の再処理工場の稼働の申請もされました。

何よりも、これは国民多数の民意に背くものであります。

どんな世論調査でも、原発の今後について、「今すぐ廃止」「将来は廃止」をあわせると7割～8割にのぼります。原発再稼働と輸出をすすめ、将来にわたって原発にしがみつく安倍政権の姿勢は、福島原発の深刻な大事故を体験し、「原発ゼロの日本」を願う、国民多数の民意への挑戦にほかなりません。

第一に、事故原因の究明もされておらず、事故収束の見通しもたたないもとでの、原発再稼働など論外であります（拍手）。「新規制基準」は、各原発の地震・津波想定に対する数値の定めもなく、活断層があっても地表に「ずれ」が見えなければその真上に原発を建ててもよく、住民の避難計画は自治体まかせという、きわめてずさんなものであり、これをテコに再稼働をすすめるなど、断じて許せるものではありません。現在、日本のすべての原発は停止しています。このまま再稼働せずに、廃炉に向かうことこそ、もっとも現実的で責任ある態度ではありませんか。（拍手）

第二に、原発推進は、処理の見通しのない「核のゴミ」をさらに増加させる、もっとも無責任なものであります。「エネルギー計画案」は、「最終処分」を「将来世代に先送りしない」などといっています。しかし、使用済み核燃料を安全に「再処理」する方法も、「再処理」した後の高レベル・低レベルの放射性廃棄物を「最終処分」する方法も、人類は持ち合わせていません。すでに、多くの原発では使用済み核燃料を貯蔵するプールが満杯近くになっています。「核のゴミ」の問題を考えても、「即時原発ゼロ」の決断が強く求められているということを、強調したいのであります。（拍手）

第三に、「エネルギー計画案」は、原発は安価で安定供給だということを、原発固執の最大の理由にしていますが、これは成

り立ちません。原発事故から3度の夏をこしても「電力不足」は起きておらず、日本社会は原発なしでもやっていけることは、日本国民が体験していることではありませんか。原発こそ究極の高コストであることは、その後始末にどれだけ巨額の費用がかかるかも定かでない福島原発事故が証明しているではありませんか。

「即時原発ゼロ」を政治決断し、再生可能エネルギーの思い切った普及と低エネルギー社会への転換に力をそそぐことこそ、政治がとるべきもっとも現実的で責任ある態度であるということを、私は訴えたいと思います。（拍手）

福島の復興と「原発ゼロの日本」を求めるたたかいを一体にとりくむ

「原発ゼロの日本」を求めるたたかいを、福島の苦しみに心をよせ、福島の復興をすすめることと一体にとりくむことが大切であります。

福島原発事故は収束するどころか、放射能汚染水が増え続け、制御できない非常事態が続いています。わが党は、昨年11月21日、汚染水問題の危機打開のためのシンポジウムを開催しました。そこでも明らかになったように、汚染水問題の解決と事故収束は、長期にわたる努力を必要とするものであり、内外の英知を総結集した取り組みが求められます。わが党は、政府に対して「放射能汚染水の危機打開のための緊急提言」にそくした抜本的対応を要求します。国会に、日本の科学者、技術者、産業界の英知を総結集する場をしかるべき形でつくることを提起し、この問題の解決のために力をつくす決意であります。

原発被害は、3年近くたった今、深刻さを増しています。福島では約14万人もの方々が避難を強いられ、震災関連で亡くなった方が、地震・津波の直接被害で亡くなった方を上回るなど、先の見えないつらい生活のなかで、命と健康が脅かされています。

政府は、昨年12月20日、福島の「復興指針」を決定しましたが、それは、①被害者である住民と自治体に、上からの線引きで格差を持ち込み、分断と幕引きをはかるとともに、②加害者である東京電力は、国民の税金と電気料金によって救済するというものになっています。被災地の自治体首長からも、「地域の分断を招く」、「支援策を差別するべきではない」との懸念と批判があいついでいます。

原発事故の被災者支援にあたっては、被災者を分断するいっさいの線引きや排除、「期限切れ」を「理由」にした切り捨てをおこなわず、事故前にどこに住んでいたかにかかわらず、避難している人もしていない人も、故郷に戻りたい人も戻れない人も、すべての被災者が生活と生業を再建できるまで、国と東京電力が責任をもって等しく支援することを、大原則にすえよ――日本共産党は、このことを強く要求してたたかうものであります。（拍手）

「原発ゼロ」をめざすかつてない創意的・画期的な運動の発展を

この間、「原発ゼロ」をめざす運動が、大きく広がっています。２０１２年3月に始まった首相官邸前の毎週金曜日の抗議行動が全国に広がるとともに、節々で、東京と全国各地で大規模な集会がもたれています。この運動は、日本の国民運動史上でもかつてない創意的で画期的な運動であります。この運動の力こそが、国民世論を変え、原発推進勢力への大きな圧力となり、再稼働への動きを押しとどめ、稼働原発ゼロという状況をつくりだしていることに、大いに確信をもとうではありませんか。

日本共産党は、この運動に固く連帯し、圧倒的な「原発ゼロ」を求める国民世論によって、原発推進勢力を包囲・孤立させ、「原発ゼロの日本」への道を開くために、全力をあげて奮闘するものであります。（拍手）

「アメリカいいなり」をやめ、独立・平和の日本を――二つのたたかいの焦点

決議案第16項は、「アメリカいいなり」をやめ、独立・平和の日本をめざすたたかいについてのべています。

沖縄新基地建設問題――「沖縄は屈しない」という決意に全国が応えよう

決議案発表以降、沖縄基地問題をめぐって重大な事態が進展しました。安倍政権は、強圧をもって、沖縄県選出の自民党国会議員と自民党県連に、「県外移設」の公約を撤回させ、新基地建設容認に転じさせました。さらに、沖縄振興策など「札束」の力で、仲井真《なかいま》弘多《ひろかず》知事に圧力をかけ続け、新基地建設のための埋め立てを承認させました。

裏切った者の責任はもとより重大ですが、裏切らせた安倍政権の責任はさらに重いものがあります。アメとムチによって、自分たちの仲間に「嘘《うそ》つきになれ」とけしかけ、「嘘つき」にさせた。これは、民主主義の国では決してあってはならない暴政であり、断じて許すわけにいきません。（拍手）

しかし、沖縄県民は、この背信と欺瞞《ぎまん》を、冷静かつ毅然《きぜん》と受け止めています。地元紙の緊急調査では、自民党県連と知事に圧力をかけ、公約を撤回させた安倍政権の対応にたいして、7割を超える県民が「納得できない」と答えています。「普天間基地の解決方法は」という問いに対しては、「県外・国外・無条件撤去」が73・5％を占め、「辺野古《へのこ》移設」はわずかに15・9％にすぎません。「辺野古移設反対、普天間基地閉鎖・撤去」という「オール沖縄」の声は、強圧や背信によって揺らぐものでは決してありません。知事による埋め立て承認は、手続き面での一段階にすぎず、7割の県民が反対している辺野古移設が易々《やすやす》とすすむものではありません。

戦後、沖縄は、米軍によって、また日米両政府によって、常に分断工作にさらされてきました。しかし、沖縄の意思が一つにまとまったときには、どのような強圧をもはねかえして、歴史を前にすすめることができる。そのことは、島ぐるみのたたかいで勝ち取った本土復帰が証明しているではありませんか。さらに、この17年間、辺野古の美しい海に杭《くい》一本も打ち込ませてこなかったのも、島ぐるみのたたかいの成果ではありませんか。（拍手）

この間、オリバー・ストーン氏をはじめ米国を中心とする海外の著名な有識者や文化人など29人が「声明」を発表し、「私たちは沖縄県内の新基地建設に反対し、平和

と尊厳、人権と環境保護のためにたたかう沖縄の人々を支持します」と表明しました。「声明」では、沖縄の現状を「軍事植民地状態」と指弾するとともに、普天間基地は、もともと米軍の無法な土地強奪のうえにつくられたものであり、「返還に条件がつくことは本来的に許されないことなのです」と、その無条件撤去を求めています。これは、沖縄県民のたたかいが、世界の大義に立ったものであることを、示すものにほかなりません。世界の良識によって追いつめられているのは、日米両政府なのであります。（拍手）

「沖縄は屈しない」――沖縄県民のこの決意に、全国が応えようではありませんか（拍手）。日本共産党は、辺野古への新基地建設に断固反対するとともに、普天間基地の無条件撤去を強く求めてたたかいぬきます。

最終盤のたたかいを迎えている名護市長選挙での稲嶺ススム市長の勝利のために、全国のみなさんの支援を集中することを心から訴えるものです。（拍手）

みなさん。沖縄と本土の連帯したたたかいを大きく発展させ、「基地のない沖縄」「基地のない日本」をたたかいとろうではありませんか。（拍手）

「公約を守る」というならTPP交渉から即時撤退を

昨年12月に開かれたTPP閣僚会合では、交渉が合意に至らず、「年内妥結」どころか大筋の合意さえ発表することができず、再度、交渉をおこなうことになりました。関税をはじめ、知的財産権、国有企業などの各分野の各国の主張は対立したままに終わりました。予断は許しませんが、TPP交渉全体の矛盾が深まっています。

安倍政権は、「農産物の重要5項目を聖域とする」という自らの公約にも背き、重要5項目の一部を関税撤廃の対象とするという譲歩を始めました。しかし、それに対するアメリカの回答は、「全品目、100％の関税撤廃」というものでした。安倍政権は、日本には一定の農産物の重要品目があることを、昨年2月の日米首脳会談でオバマ大統領が認めたと説明して、TPP交渉に参加しました。しかし、それは「空約束」だった。「例外なき関税撤廃」こそがTPPの真実だということが明瞭になったのであります。

秘密交渉で、この真相を隠したまま、日本の将来を犠牲にした譲歩という結論を問答無用で押しつけるなど、絶対にあってはなりません。安倍政権が「公約を守る」というなら、TPP交渉からただちに撤退すべきであります。（拍手）

日本共産党は、TPP反対の一点での国民的共同を広げるために最後まで力をつくすとともに、食料主権、経済主権の相互尊重に立った、平等・互恵の経済関係を発展させるために奮闘するものであります。

日米安保条約廃棄の国民的多数派を

決議案は、日米安保条約廃棄の国民的多数派をつくりあげていくことの、独自の取り組みの重要性について強調しています。

発効から62年を経て、この条約を背骨とした「異常なアメリカいいなりの政治」は、あらゆる分野で行き詰まりを深め、国民との矛盾が噴き出しています。沖縄をはじめ米軍基地問題の矛盾は限界点を超えています。安保条約は日本国憲法といよいよ両立しえなくなっています。TPPなど日本の経済主権を根底から損なう危機に直面しています。

直面する熱い問題で、一致点にもとづく共同をそれぞれ発展させながら、根源にある日米安保条約の是非を国民的に問うべき時期がきています。いまこそ、「日米安保条約をこのまま続けていいのか」を問う国民的議論を起こそうではありませんか。「外交ビジョン」で示した「安保条約をなくしたらどういう展望が開かれるか」を、広範な国民のなかで大いに語り広げようではありませんか。（拍手）

〝戦争する国づくり、暗黒日本への道〟を許さない国民的共同をよびかける

決議案第18項は、憲法改定、「海外で戦争する国」づくりを許さないたたかいをよびかけています。

安倍政権は、昨年の臨時国会で、外交・安保政策の「司令塔」となる国家安全保障会議（日本版ＮＳＣ）法と秘密保護法を強行し、それに続いて、「国家安全保障戦略」、新「防衛計画の大綱」、新「中期防衛力整備計画」を閣議決定しました。

これらの一連の動きから浮かび上がってくる「海外で戦争する国」づくりの野望は、次の三つの柱からなっています。

第一の柱は、憲法9条を改変して、これまでの海外派兵立法の「歯止め」をとりはずし、自衛隊が戦闘地域まで行って、米軍とともに戦争行動ができるようにすることであります。安倍政権は、「国家安全保障戦略」の基本理念として「積極的平和主義」なるものをすえました。その内容は、明示こそされていませんが、集団的自衛権行使をはじめ、憲法9条の破壊を志向していることは、これまでの首相の発言から明らかであります。まず、解釈改憲によって集団的自衛権行使の容認に踏み出し、それを明記した「国家安全保障基本法案」を成立させる。さらに、明文改憲によって、憲法9条そのものを葬り去る。これが、安倍政権が描く「改憲スケジュール」にほかなりません。

第二の柱は、自衛隊のあり方を、これまでの「専守防衛」という建前すら投げ捨てて、海外派兵の軍隊へと大改造することであります。新「防衛計画の大綱」では、「統合機動防衛力の構築」――陸海空自衛隊が海外に迅速かつ持続的に展開できる能力を構築することを強調しています。オスプレイ、水陸両用車、無人偵察機、新型空中給油機などを新たに導入するとともに、米海兵隊のような「殴り込み」作戦をおこなう「水陸機動団」を編成するとしています。そのために5年間で24兆６７００億円の軍事費を投入する大軍拡に打って出ようとしています。「武器輸出三原則」を放棄し、戦後、武器を輸出しなかったことで果たしてきた積極的役割や国際的信頼を自ら傷つけ、投げ捨てようとしています。

第三の柱は、「海外での戦争」に国民を動員するための仕組みをつくることであります。秘密保護法は、その重大な一歩です。それは、国民の「知る権利」を奪い、基本的人権を蹂躙する弾圧立法であるとともに、国民の目・耳・口をふさいで「海外で戦争する国」をつくる戦時立法でもあります。さらに、安倍政権は、実際の犯罪行為がなくても、「2人以上で話し合った」

だけで処罰する共謀罪の新設を狙っています。改悪教育基本法にそって、子どもたちに「愛国心」を強要する教科書検定基準の改悪、「愛国心」をＡＢＣと評価する道徳の教科化、教育内容への権力的介入をすすめるための教育委員会制度の廃止など、一連の教育制度改悪がくわだてられていることも重大であります。

　これが、安倍政権の狙う「海外で戦争する国」づくりの恐るべき野望であります。しかし、この野望が簡単にすすむと考えたら、大きな間違いであります。その一歩一歩が、広大な国民の激しい怒りをよびおこさざるをえないでしょう。そのことは、秘密保護法に反対する世論と運動が、これまでにない広範な人々をとらえて、ごく短期間に日本列島に燃え広がったことにも示されました。それは、日本国民の中の平和と民主主義を求めるエネルギーがいかに深く、広いものであるかを示すものとなりました。

　日本共産党第26回大会の名で呼びかけたい。

　〝戦争する国づくり、暗黒日本への道〟を拒否する、日本の理性と良識を総結集しようではありませんか。（拍手）

　憲法9条を改変し、「海外で戦争する国」をつくるいっさいの動きに反対し、憲法を守り生かすたたかいを発展させましょう。（拍手）

　自衛隊を海外派兵の軍隊へと大改造する軍拡計画をやめさせましょう。（拍手）

　秘密保護法を廃止・撤廃し、共謀罪の新設を許さないたたかいを発展させましょう（拍手）。「愛国心」の押しつけを拒否しましょう。（拍手）

　みなさん。それぞれの一致点での共同を広げながら、日本の理性と良識を総結集した大闘争に合流・発展させ、〝戦争する国づくり、暗黒日本への道〟を許さない広大な国民的共同をつくりあげようではありませんか。（拍手）

北東アジア平和協力構想――ここにこそ平和と安定への大道がある

　つぎに決議案が提唱した北東アジア平和協力構想について報告します。

　安倍政権は、中国の軍事力増強や、北朝鮮の核兵器開発などの軍事行動を、「強く懸念」「重大かつ差し迫った脅威」などとのべ、「海外で戦争する国」づくりを合理化する口実に利用しています。

　日本共産党は、中国による尖閣《せんかく》諸島の領海や領空への侵犯、「防空識別圏」の設定など、地域の緊張を激化させる動きに反対し、そうした行動の自制を強く求めています。問題は、どのような手段をもって、こうした事態を解決するかにあります。

安倍政権の対応の問題点――まともな外交戦略なしの軍事的対応一辺倒

　安倍政権の対応には、三つの問題点があります。

　第一は、まともな外交戦略を持ち合わせていないということです。安倍政権が、中国への対応として、昨年12月の日本・ASEAN特別首脳会議などで追求したのは、〝中国包囲網〟をつくろうということでした。しかし、これには賛同が得られませんでした。ASEANが追求している平和的安全保障は、軍事ブロックのように外部に仮想敵を設けず、地域のすべての国を迎え入れ、友好関係をつくるというものです。中国であれ、どの国であれ、ある国を対象として、日本とASEANで〝包囲網〟をつくるなどというのは、ASEANが最も避けてきた論理なのであります。安倍首相は、ASEANのすべての国ぐにを訪問したと自慢していますが、いったい何を学んできたのでしょうか。ASEANがもっとも重視している根本精神をまったく理解していないといわなければなりません。

第二は、まともな外交関係の土台を覆す行動をとっているということです。首相の靖国神社への参拝は、中国、韓国など、近隣諸国との緊張を激化させ、地域の平和と安定への重大な逆流をつくりだしています。

そして、第三は、軍事的対応に熱中しているということです。中国の軍事的台頭を理由に、集団的自衛権行使、自衛隊の海外派兵の軍隊への大改造など、「海外で戦争する国」づくりに熱中する。これが安倍政権がもっぱら力を入れていることでありま す。

まともな外交戦略を持たないばかりか、靖国参拝という外交関係の土台を覆す行動をとり、もっぱら軍事的対応の強化に熱中する――これでは、地域の緊張をいたずらに激化させ、「軍事には軍事」という危険な軍事的緊張の拡大と悪循環に陥るだけではありませんか。

こうした有害で危険な道ときっぱり決別することが、いま日本に強く求められていることを、私は、強調したいと思うのであります。(拍手)

北東アジアに平和と安定をもたらす最も現実的かつ抜本的な方策

この地域の国ぐにが、経済関係、人的交流をいよいよ深化させるもとで、国と国との戦争は決して起こしてはならないし、もはや起こせないことは誰の目にも明らかです。そうであるならば、問題解決の方法は、平和的・外交的手段に徹する以外にありません。

決議案第17項は、つぎのような目標と原則にたった、北東アジア平和協力構想を提唱しました。

――域内の平和のルールを定めた北東アジア規模の「友好協力条約」を締結する。

――北朝鮮問題を「6カ国協議」で解決し、これを平和と安定の枠組みに発展させる。

――領土問題の外交的解決をめざし、紛争をエスカレートさせない行動規範を結ぶ。

――日本が過去におこなった侵略戦争と植民地支配の反省は、不可欠の土台となる。

これは、この地域に存在する紛争と緊張を、平和的・外交的手段によって解決する抜本的対案を示したものであります。また、この構想は、この地域に、日米、米韓の軍事同盟が存在するもとで、軍事同盟に対する立場の違いはあったとしても、一致して追求しうる緊急の提案として示したものであります。

これは決して理想論ではありません。すでにASEAN諸国が実践している平和の地域共同の取り組みを、北東アジアでも構築しようというものであります。北東アジア規模の「友好協力条約」という提起で念頭に置いているのは、東南アジア友好協力条約（ＴＡＣ）であります。領土問題の紛争をエスカレートさせない行動規範という提起で念頭に置いているのは、ＡＳＥＡＮと中国による南シナ海行動宣言（ＤＯＣ）から行動規範（ＣＯＣ）をめざす取り組みであります。

昨年5月、韓国の朴槿恵《パククネ》大統領が、米国議会での演説で「北東アジア平和協力構想」を提起したことに続き、昨年12月、インドネシアのユドヨノ大統領が、東京での講演で、「インド・太平洋友好協力条約」の締結をよびかけ、「そのような条約は、ＴＡＣがＡＳＥＡＮ諸国に与えているのと同じ平和的変化の影響を及ぼすだろう」とのべました。これらは、わが党の提唱と重なり合うものであります。

昨年9月、わが党代表団は、インドネシアを訪問し、ワルダナ外務副大臣と会談をおこないました。私が、「私たちは、東南アジア友好協力条約（ＴＡＣ）のような紛争の平和的解決をはかる国際規範を、北東アジアでも構築するという政策ビジョンを打ち出しています」とのべますと、ワルダナ氏から、「そのようなイニシアチブを歓迎します。この点でＡＳＥＡＮと北東アジア諸国の協力をすすめたい。ＡＳＥＡＮの経験と教訓を北東アジアにも生かしていただきたい。ＴＡＣのように、北東アジアでも平和と安定につなげてほしい」との歓迎の意が示されたことを報告しておきたいと思います。（拍手）

私は、わが党が提唱する北東アジア平和協力構想の方向こそ、この地域に平和と安定をもたらす最も現実的かつ抜本的な方策であると確信するものです。日本共産党は、この構想をもって、国民的議論をおこし国民的合意をつくりあげるとともに、関係各国の政府や政党と広く語り合い、その実現のために奮闘する決意を表明するものです。（拍手）

統一戦線の現状と展望について

決議案第20項は、統一戦線の現状と展望についてのべています。

決議案では、「この数年来、原発、ＴＰＰ、消費税、憲法、米軍基地など、国政の根幹にかかわる問題で、一致点にもとづく共同――『一点共闘』が大きな広がりをもって発展している」ことを、「未来ある画期的な動き」とのべ、「この動きを発展させ、日本を変える統一戦線をつくりあげていく」ことを訴えています。この問題では、決議案が示している四つの努力方向が重要であります。

「一点共闘」の発展のために誠実に力をつくす

第一は、「一点共闘」の発展のために誠実に力をつくすことです。さまざまな分野で発展している「一点共闘」で発揮されている国民のエネルギーの深さ、広さ、大きさに確信をもつとともに、新しい質が生まれていることに注目する必要があります。

それぞれの「一点共闘」に、従来、保守といわれてきた人々、広大な無党派の人々など、まったく新しい層、人々が自発的に参加しています。秘密保護法反対のたたかい、「原発ゼロ」を求めるたたかいに見られるように、一過性でない粘り強い持続的なたたかいになっています。さらに、それぞれの「一点共闘」が、たがいに連帯し、合流しあい、「点」から「面」をなす共闘となりつつあります。

「一点共闘」は、日本を変える大きな可能性をもった、未来ある流れであります。みなさん、ここに深い確信をもって、その発展のために大いに力をつくそうではありませんか。（拍手）

革新懇運動の発展のために思い切って力をそそごう

第二は、革新懇運動の発展のために思い切って力を入れるということです。

どの「一点共闘」も、その掲げている要求を本気で実現しようとすれば、「二つの異常」を特徴とする自民党政治の根本の枠組みにつきあたらざるをえません。

そのときに、全国で800の地域・職場・青年革新懇が草の根で活動している、革新懇運動の存在はきわめて重要となっています。革新懇運動は、草の根のレベルで、多くの課題での「一点共闘」に参加しており、「一点共闘」が互いに連帯する「要」としての役割を発揮しています。同時に、「一点共闘」が日本の政治を変える統一戦線に発展していくうえで「架け橋」としての役割を発揮しています。

「革新懇運動では狭くなる」という意見が一部にあります。しかし、革新懇運動は、草の根から国民の要求にもとづく多彩な共同の取り組みをすすめることと、自民党政治を根本から変える「三つの共同目標」を掲げて国民的合意をつくることを、一体的に追求しているところに、その魅力の源泉があります。一つの要求でも、あるいは「共同目標」のうちの一つでも、一致するならば、それをとりあげて運動に取り組むのが革新懇運動なのであります。革新懇運動は、最も広大な国民を結集しうる運動だということを、私は、強調したいと思うのであります。

この運動の提唱者の党として、革新懇運動の大きな発展のために思い切って力をそそぐことを、心からよびかけるものであります。（拍手）

労働運動の階級的民主的強化——二つの注目すべき変化をふまえて

第三は、労働運動の階級的民主的強化に力をそそぐことです。この分野では、二つの注目すべき変化があります。

一つは、連合指導部が支持を押しつけてきた民主党が、政権党として、また野党に転落してからも、悪政を推進していることに、労働者のなかから怒りと批判が広がり、公務でも、民間でも、職場段階では多くのところで特定政党の支持押しつけが、崩壊状態になっていることです。連合指導部が、特定政党支持路線と労資協調主義路線という二つの重大な弱点を克服することが、いま強く求められていることを、率直に指摘したいと思います。

いま一つは、全労連の「内部留保を活用して賃上げを」「最低賃金の大幅引き上げを」「労働法制の規制緩和反対」などの提起が、ナショナルセンターの違いを超えた多くの労働組合の共通の要求となり、共同の条件が大きく広がっていることです。昨年12月、ナショナルセンターの違いを超えて開かれた労働法制改悪反対の集会は、新たな共同の条件の広がりを示すものとなりました。

労働者の要求にもとづく共同行動を発展させていくうえで、全労連の果たす役割は、いよいよ大きなものとなっています。全労連は、「一致する要求での行動の統一」

「資本からの独立」「政党からの独立」という3原則にもとづいて結成されており、もともとあらゆる傾向の労働組合との共同に向けて開かれているナショナルセンターです。全労連がこの民主的原則を生かして、大きく発展、飛躍し、ナショナルセンターの枠を超えた共同、国民的共同をすすめることを、私は、強く願ってやみません。

労働者の切実な要求実現のためにも、労働者階級を統一戦線に結集していくうえでも、1949年には56％だった労働組合の組織率が、現在、18％まで落ち込んでいる事態を克服することは急務です。党と階級的・民主的労働運動が協力して、広大な未組織労働者を労働組合に結集する仕事に、知恵と力をそそいで取り組むことを訴えるものです。

政党戦線での連合の展望――日本共産党の躍進が決定的条件

第四は、政党戦線での連合の展望についてであります。

決議案は、「政党戦線においても、日本共産党との連合の相手が必ず出てくると、私たちは確信するものである」と表明するとともに、「そのさい、私たちの連合の対象となる相手が、従来の保守の流れも含む修正資本主義の潮流であることも、大いにありうることである」とのべました。この間のさまざまな課題での保守の人々との共同の発展は、そのことを強く予感させるものであります。

同時に、ここで強調したいのは、このような政党戦線における前向きの変動は、待っていて訪れるものではないということです。それを起こす決定的条件となるのは、日本共産党が国民と結びつき、強大な組織力をもって発展し、国政において衆議院と参議院で数十という議席を確保することにあります。

1960年代後半から1970年代の日本共産党の躍進は、他の野党の政治的立ち位置にも影響を与え、公明党までが、一時ではあれ、安保条約「即時廃棄」を掲げました。みなさん、日本共産党の政治的・組織的躍進こそ、政党状況に前向きの変化を促し、新しい日本への扉を開く決定的保障であることを銘記して、奮闘しようではありませんか。（拍手）

決議案第4章（国政と地方政治で躍進を本格的な流れに）について

つぎに決議案第4章について報告します。

第4章は、来るべき国政選挙と地方選挙で党躍進をかちとり、昨年の参議院選挙で開始された躍進を本格的な流れにするための方針を提起しています。

来るべき国政選挙の目標の積極的意義をつかみ必ず達成しよう

決議案第21項では、来るべき国政選挙——衆議院選挙および参議院選挙の目標についてつぎのようにのべています。

全党の猛奮闘なしには実現できない目標であることを銘記してのぞもう

「次期総選挙、および参院選では、『比例を軸に』をつらぬき、『全国は一つ』の立場で奮闘し、比例代表選挙で『650万、得票率10％以上』を目標にたたかう」。

全党討論のなかで、一部から「もっと高い目標を設定してはどうか」という意見も出されました。しかし、決議案でものべているように、わが党は、2013年の参院選で、得票率は9・7％とほぼ10％に到達しましたが、得票は、低投票率のもとで515万であります。また、8中総決定でも確認したように、この結果自身が、「私たちの実力以上の結果」であり、515万という峰は決して既得の陣地ではありません。得票を515万から650万以上に伸ばすことは、全党の猛奮闘なしには実現できないことを、まず銘記してのぞみたいと思います。

民主連合政府樹立への展望を開く、大志ある積極的な目標

同時に、この目標は、開始された〝第3の躍進〟を本格的な流れにし、「21世紀の早い時期に民主連合政府を樹立する」展望を開く、大志ある積極的な目標であることを、強調したいと思います。

「650万、10％以上」を獲得すれば、どのような展望が開かれるでしょうか。「515万、9・7％」を獲得した先の参院選の結果を、衆院選の比例ブロック別にあてはめて試算しますと、北海道1議席、東北1議席、東京3議席、北関東2議席、南関東2議席、北陸信越1議席、東海2議席、近畿3議席、中国1議席、九州沖縄1議席で、合計17議席となります。四国はあと1万5千票上乗せすれば1議席、九州沖縄はあと6万票上乗せすれば2議席となります。小選挙区ごとにみても、第2党の地位を獲得した選挙区が13あり、小選挙区でも議席を獲得する可能性が開かれます。

全党的に「650万、10％以上」の目標を達成するならば、この段階からさらにすすみ、衆議院選挙では、「すべての比例ブロックで議席獲得・議席増をかちとり、小選挙区でも議席を獲得する」という目標を達成する可能性が大きく開けてきます。参議院選挙でも、昨年の選挙で獲得した比例代表5議席、選挙区3議席にくわえて、比例でも選挙区でも新しい議席を獲得する可能性が生まれてきます。

みなさん。衆院選、参院選ともに、この目標を必ず達成し、来るべき国政選挙で、〝第3の躍進〟を本格的な流れに発展させていこうではありませんか（拍手）。

中期的展望にたった「成長・発展目標」——どの都道府県、どの自治体・行政区でも「10％以上の得票率」を獲得できる党へと接近し、「21世紀の早い時期に民主連

合政府を樹立する」という目標への展望を開く選挙にしていこうではありませんか。（拍手）

いっせい地方選挙での躍進の意義と、たたかいの方針について

決議案第22項は、地方政治をめぐる政治的な焦点と地方選挙での躍進をめざす方針を提起しています。

〝第3の躍進〟を地方選挙へと押し広げ、国政選挙躍進の突破口を開こう

２０１５年４月におこなわれるいっせい地方選挙は、国政に重大な異変が起こらない限り、私たちが直面する最も早い全国的政治戦となります。

決議案がのべているように、「この選挙に勝利することができるかどうかは、それぞれの地方自治体の今後を左右するだけでなく、わが党にとって〝第３の躍進〟を本格的な流れにするうえで重大な関門」となります。

連続してたたかわれる国政選挙を展望しても、地方議会での議席占有率を高めることは、国政選挙での躍進の確実な土台をつくるものとなります。昨年の参議院選挙で、選挙区で議席を獲得した東京、京都、大阪で、地方議員の議席占有率が、京都が全国第1位（18・09%）、大阪が全国第2位（13・83%）、東京が全国第3位（13・47%）だったことは、地方自治体で住民と結びついた議員団を持つことが、国政選挙でもどんなに大きな力となるかを、はっきりと示しています。

わが党は現在、県議、政令市議とも第4党ですが、各都道府県の報告を合計しますと、道府県議で前回当選80から１５９以上に、政令市議で前回当選１０４から１６０以上に挑む、意欲的な目標を掲げています。

みなさん。いっせい地方選挙で、これらの目標を必ず達成し、〝第３の躍進〟を地方選挙へと押し広げ、「地方議会第1党を奪回」し、引き続く国政選挙での躍進の突破口を開こうではありませんか。（拍手）

いっせい地方選挙の躍進を、党活動の前面にすえて奮闘しよう

1年3カ月後に迫ったいっせい地方選挙で躍進をかちとることを、党活動の前面にすえ、以下の諸点に留意した取り組みをただちに開始することを訴えます。

第一に、予定候補者のすみやかな決定は、勝敗を大きく左右します。どんなに遅くとも選挙1年前の3月中に予定候補者を決めるとともに、予定候補者を先頭に選挙をたたかう態勢をつくりあげます。

第二に、政策論戦では、それぞれの地方政治の問題とともに、国政の問題を大争点にしてたたかいます。安倍政権による、暮らし、平和、民主主義破壊の数々の暴走に対して、国民が審判を下す最初の全国的政治戦としていくことが大切であります。

第三に、すべての党組織と党支部が、「６５０万、10%以上」にみあう得票目標、支持拡大目標をもって活動します。地方選挙の選挙区定数との関係で必要な場合に

は、得票目標を引き上げて、必勝のための取り組みをすすめます。

第四に、選挙活動の方針としては、決議案第23項が示している、党員と党組織のもつあらゆる結びつき、つながりを生かして選挙勝利に結実させる「選挙革命」というべき活動方向を、全面的に実践します。期限の決まった選挙であり、1年前、半年前、3カ月前など、活動の節を区切って、計画的・日常的に着実に選挙準備をすすめます。

第五に、いっせい地方選挙の前半戦（道府県議選、政令市議選）と後半戦（市区町村議選）の双方で勝利をかちとるための独自の努力をはらいます。前回の選挙では、前半戦では県議の議席を獲得したが、後半戦の市議選の独自準備をおろそかにして議席を失ったところや、県議選の独自活動が弱く「市議選に上乗せ」するなどの取り組みとなり県議で惜敗する失敗がありました。前半戦と後半戦を、「同時に、独自に、相乗的に」の見地でたたかいぬきます。そのさい、自治体合併後、2回、3回目の選挙戦となるところは、様相の変化を的確にとらえた取り組みの強化をはかることが必要であります。

第六に、自治体合併による選挙時期の分散によって、中間地方選挙の比重が高まり、全体の約6割におよびます。党大会からいっせい地方選挙の前までに、茨城県議会選挙、１７３市、１６０町村で中間選挙がたたかわれます。これらの中間選挙の一つひとつで議席の確保と拡大をはかり、得票を増やし、躍進の流れをつくりだすことに力をつくします。

第七に、首長選挙を、日本共産党と無党派の人々との共同を強め、革新・民主の自治体の流れを発展させるために、積極的に位置づけ、攻勢的な取り組みをすすめます。大阪市長選、堺市長選の教訓をふまえ、可能な条件が生まれた場合には、反動的潮流を打ち破るために、党派の違いを超えた共同を追求します。

2月9日投票の東京都知事選挙は、都政の今後が問われるとともに、安倍政権の暴走への都民的審判が問われる選挙となります。日本共産党は、「希望のまち東京をつくる会」の宇都宮けんじ氏を推薦し、政策で一致する政党、団体、個人の共同の一員として、勝利のために全力をあげて奮闘するものであります。（拍手）

決議案第5章（躍進を支える質量ともに強大な党建設を）について

つぎに決議案第5章について報告します。

第5章は、党の躍進を支える決定的な条件となる質量ともに強大な党建設を推進する方針を提起しています。

4年間（第25回党大会期）の党建設の取り組みと、今後の方向について

まず、この4年間——第25回党大会期の党建設の取り組みについて報告します。

全党の努力によって、一連の重要な成果がつくられてきた

私たちは、この4年間、第25回党大会決定にもとづき、また2010年の参院選を総括した同年9月の2中総決定で、「党の自力の問題」にこそ、わが党の最大の弱点があることを深く明らかにし、強く大きな党づくりに一貫して力を注いできました。

党建設の根幹である党員拡大で、「党創立90周年・党勢拡大大運動」、「第26回党大会成功・党勢拡大大運動」などに取り組み、今党大会期、新入党員は3万7千人を超え、党員を迎えた支部は全国的に5割を超えました。これは、90年代以降の党大会期の取り組みとしては、最も高い水準であります。多数の支部で新入党員を迎えたことが、支部に新鮮な活力をもたらし、活動を豊かに発展させ、参院選の躍進に実をむすびました。これは、多くの党組織、党支部で共通の確信となっていることではないでしょうか。

大会の名において、この間、新しく党の一員となったすべての仲間のみなさんに、心からの歓迎のメッセージを送るものです。（拍手）

この大会期の大事業として、1年余にわたって党内通信を活用した「綱領・古典の連続教室」に取り組み、約2万8千人が受講するという党史上でも空前の規模の学習運動となりました。この運動は、全党に大きな知的・理論的活力をよびおこし、困難を抱えていた支部が見違えるように変化するなど、大きな力を発揮しています。「連続教室」は、その後、DVD視聴による学習として発展し、さらにそれぞれが全3巻の書籍になるもとで、新たな学習の広がりを見せています。

第24回党大会決定にもとづいて、第25回党大会期も継続的に取り組まれてきた「特別党学校」、「職場講座」も力を発揮しつつあります。「特別党学校」の参加者が、職業革命家としての自覚を深めて成長し、各級機関の幹部や新しい議員・候補者となり、参院選を「若者が輝く選挙」としてたたかうことができたことも、特筆に値する成果であります。

全党の努力によって、これらの一連の重要な成果がつくられたことを、まず確信をもってつかむことを訴えるものであります。

「第26回党大会成功・党勢拡大大運動」の到達点について

党大会にむけて、全党は、昨年9月の8中総決定がよびかけた「第26回党大会成功・党勢拡大大運動」に取り組んできました。

全党の努力によって、「大運動」の4カ月通算で、昨日までに、新入党員は5300人を超えました（拍手）。奈良県・奈良地区委員会につづき、福岡県・嘉《か》飯《はん》地区委員会、福岡県・直鞍《ちょくあん》地区委員会、

福岡県・田川地区委員会、福岡県・東・博多地区委員会、あわせて五つの地区委員会が、「大運動」目標を達成して大会を迎えました（拍手）。奮闘をたたえたいと思います。（拍手）

「しんぶん赤旗」読者の拡大は、昨年の10月、11月、12月と3カ月連続で前進し、日刊紙2400人、日曜版1万人、あわせて1万2400人の増加となりました。岩手県の宮古地区委員会が日刊紙・日曜版の双方で、さらに11地区が日刊紙あるいは日曜版のどちらかで前大会水準を回復・突破しています。（拍手）

私は、全党の同志のみなさんの奮闘に心から敬意を表するとともに、後援会のみなさんのご協力に感謝を申し上げるものであります。（拍手）

「大運動」の取り組みの最大の教訓は、参議院選挙での日本共産党の躍進、安倍政権の暴走と「自共対決」の様相が鮮明になるもとで、党への新しい期待が広がり、こうした情勢の前向きの変化をとらえて、そこに思い切って働きかけるならば、これまでにない広範な人々が入党し、読者になってくれる状況が広がっているということにあります。

党勢の現状について――党大会としての二つの呼びかけ

同時に、党勢の現状は、情勢がもとめる水準にてらして、大きな立ち遅れがあることを、私たちは直視しなくてはなりません。

党員については、拡大のための努力が重ねられてきましたが、2中総決定が呼びかけた「実態のない党員」問題の解決に取り組んだ結果、1月1日の党員現勢は、約30万5千人となっています。「実態のない党員」問題を解決したことは、全党員が参加する党をつくろうという新たな意欲と機運をよびおこしています。同時に、「実態のない党員」を生み出した原因は、十数年におよぶ「二大政党づくり」など日本共産党抑え込みという客観的条件の困難だけに解消できるものではありません。それは、「支部を主役」にすべての党員が参加し成長する党づくりに弱点があることを示すものといわなければなりません。「二度と『実態のない党員』をつくらない」決意で、革命政党らしい支部づくり、〝温かい党〟づくりへの努力を強めることを訴えるものであります。

「しんぶん赤旗」の読者については、日刊紙読者の拡大に特別の努力を注ぎながら、毎月、粘り強い取り組みがすすめられていますが、現在、日刊紙、日曜版読者をあわせて124万1千人となっています。前党大会比で日刊紙87・5％、日曜版85・0％の到達であります。配達・集金体制の確立の努力の強化が、どこでも大切な課題となっています。

このように党勢の現状は、さまざまな努力が積み重ねられているものの、依然として党活動のなかでの「最大の弱点」となっているといわなければなりません。

こうした現状をふまえて、第26回党大会として、全党の同志のみなさんに、つぎの二つの点を強く訴えるものであります。

第一は、「第26回党大会成功・党勢拡大大運動」の目標総達成のために、最後まで力をつくすということであります。いま取り組んでいる「大運動」の期日は1月末までです。党員拡大、読者拡大の党大会時の到達は、1月末時点の到達が記録されます。全党のみなさん、この党大会に呼応し、また党大会を一大跳躍台として、さらに運動を発展させ、目標総達成に正面から

挑戦しようではありませんか。（拍手）

第二は、「大運動」は1月末までの期日を区切った運動です。〝会期延長〟はいたしません（笑い）。同時に、この党勢拡大運動を、2月以降、持続的に発展させることができるかどうかが、きわめて重要だということであります。もともと、「大運動」は、8中総決定が提起したように、綱領実現――民主連合政府樹立をめざす「成長・発展目標」を支える強大な党をつくることを展望して、「支部が主役」で日常不断に党勢拡大に取り組む気風を、全党に定着させることを、最も重要な目的にすえた運動であります。全党が苦労に苦労を重ねて「大運動」でつくりだしてきた、党員拡大を中心にすえた党勢拡大の前進の流れを、絶対に中断したり、後退させたりすることなく、2月以降も、持続的に発展させていくために、知恵と力をつくすことを、私は、心から呼びかけるものであります。（拍手）

前進している地区委員会の経験に学ぶ――「成長・発展目標」、「支部が主役」

決議案第24項は、2010年代の党建設の目標として、次の二大目標を提起しました。

第一は、「『成長・発展目標』を実現するために、50万の党員（有権者比0・5％）、50万の日刊紙読者（同）、200万の日曜版読者（2・0％）――全体として現在の党勢の倍加に挑戦する」ことであります。

第二は、「党の世代的継承を、綱領実現の成否にかかわる戦略的課題にすえ、全党あげて取り組む」ことであります。

さらに、決議案第25項は、「党建設の重視すべき基本方向について」、五つの諸点を提起しました。

この提起をいかにしてやりとげていくか。

中央委員会として、第25回党大会期を通じて、党員拡大を根幹にすえ、党建設で前進しているいくつかの地区委員会の聞き取りをおこないました。そこには、中央をはじめ、全党が学ぶべき豊かな教訓があります。

「成長・発展目標」実現が生きた自覚的目標となり、大志とロマンある活動になっている

一つは、「成長・発展目標」の実現が党活動の生きた自覚的目標となり、大志とロマンある活動になっていることであります。

この大会期に9割近い支部で新入党員を迎えている北海道・十勝地区委員会からは、次のような報告が寄せられました。

「第25回党大会で『成長・発展目標』が提起された時に、〝民主連合政府が日程にのぼってくる時に、わが地区はどういう位置にあるのか、責任が果たせるのか〟、〝いつまでも国政選挙で得票率6％程度という水準を突破するには、全自治体で有権者比1％の党を何としてもつくろう〟と議論し、日常不断に努力してきました。地方選挙で失敗したのは、党員拡大をおこたり、後継者をつくってこなかったからだと反省し、いやがられても、きらわれても（笑い）、――本当にきらわれたわけではないと思います（笑い）――、党員拡大に力をつくしてきました。その結果、参院選で、

党員拡大が力となり、10％以上の得票率を勝ち取り、みんなの確信になっています」。

この党大会期に8割を超える支部で新入党員を迎えている熊本県・北部地区委員会からは、次のような報告が寄せられました。

「第25回党大会以来『成長・発展目標』を握って離さず追求してきました。2010年代を党躍進の時代にするには、遅れた党組織から脱却することが必要であり、党員も読者も現在の党勢を倍加しても届きません。選挙があろうが、何があろうが、地区の方針は、『成長・発展目標』を基本にすえ、絶対に目標を棚上げせず、機関の会議でも支部にも率直に目標を提起して論議してきました。いまでは8割を超える支部が党勢拡大目標を決めて活動するようになっています」。

双方とも「成長・発展目標」をすえたことが、大きな力となっています。

「支部が主役」で「政策と計画」を持ち、みんなが参加する党活動をつくっている

二つは、「支部が主役」の自覚的で楽しい活動——「政策と計画」を持ち、支部会議を開催し、支部長と支部指導部を確立し、みんなが参加する党活動をつくるために、一貫した努力をしていることであります。

この大会期に6割を超える支部で新入党員を迎えている京都府・伏見地区委員会からは、次のような報告が寄せられました。

「2011年のいっせい地方選挙での大失敗を真剣に総括しましたが、根底には支部の自覚的活動の弱まりという問題がありました。地区委員長として悟りを開く気持ちで決意したことは、支部本来の力に依拠し、党建設も『支部が主役』に徹し、支部会議を軸に、『みんなが活動する支部活動』をどうつくるか、そのためにカギとなるのは自覚的活動の指針となる『政策と計画』をもって活動する援助だと決意しました。支部がまわりの人々の願いや要求をしっかりつかみ、その実現のための活動ができるよう、地区が常に心を砕き、経験交流会も開く、支部長との相談にものる。こうした努力が喜ばれ、実ってきて、いまではほぼ全支部が『政策と計画』をもって活動しています。それが有権者の信頼を高め、国政選挙でも、党勢拡大でも前進の力になっています」。

2000年の第22回党大会で改定された党規約は、第40条第2項で「支部の任務」の一つをつぎのように明記しています。

「その職場、地域、学園で多数者の支持をえることを長期的な任務とし、その立場から、要求にこたえる政策および党勢拡大の目標と計画をたて、自覚的な活動にとりくむ」。

「成長・発展目標」を、「その職場、地域、学園で多数者の支持をえる」という「長期的な任務」にたった生きた自覚的目標として常に追求し、「支部が主役」で「政策と計画」をもった自覚的な活動を広げていく——このことを根本方針にすえることにこそ、強く大きな党づくりへの大道があることを、すすんだ地区委員会の経験は教えています。

この教訓に学び、2010年代に党勢の倍加をかちとる——50万の党員、50万の日刊紙読者、200万の日曜版読者を築くという大目標に、全党が挑戦しようではありませんか。（拍手）

党の世代的継承――「新しい条件と可能性」に働きかけるとりくみを

いま一つの大目標は、党の世代的継承の問題であります。

決議案第26項は、「すべての党機関、支部・グループ、議員団が、世代的継承のための目標と計画を具体化し、この取り組みを軌道にのせることを、2010年代を民主連合政府への展望を開く時代とするうえでの戦略的大事業として位置づけて力をつくす」ことをよびかけました。そのさい、職場でも、青年・学生のなかでも、「新しい前進をつくりうる条件と可能性が生まれていることをとらえた、積極果敢な活動」を訴えました。

全国の経験を見ても、「新しい条件と可能性」に着目し、それに働きかけたところで、重要な前進がつくりだされています。

職場での党づくり――「いい仕事がしたい」という根本的要求を重視して

職場での党づくりでは、決議案が指摘しているように、全国各地の職場で、雇用・労働条件改善などの要求とともに、「社会に役立つ、いい仕事がしたい」という労働者の根本的要求を重視して人間的信頼関係を築き、党に迎え入れている経験が広がっていることは、たいへん重要であります。

教職員の職場で多くの入党者を迎えているところに共通しているのは、入党者が、「子どもを大切にするすてきな先生だなと思う先生は党員だった。子どものいいところも悪いところも全部温かく見ているのが素晴らしいとあこがれ、しっかりした考えをもって〝ぶれない〟共産党の仲間に入れてもらえたらと思うようになりました」と語るように、党員教師が、教師として信頼され、尊敬されていることが大きな力となっています。

自治体の職場でも、青年をはじめ多くの新入党員を迎えているところでは、党の自治体労働者論の立場で、労働者の生活と権利を守り、住民の福祉と暮らしのために献身する労働組合運動の発展のために頑張る姿が、職種の違いを超えて労働者の厚い信頼を集め、「住民のために一生懸命に活動する党員の姿にあこがれ、尊敬の念をもっていた」などの思いで入党しています。

この大会期に5人の入党者を迎えているある民間大企業の職場では、職場の労働者と結びつくうえで、「仕事でつながり、仕事で信頼されることが一番大事」をモットーに努力しています。ある党員は、「難しい仕事は○○さんに」と職場でいわれるほど技能が高く評価され、大臣表彰まで受けています。そんななかで、「臨時で入社したが、党員の方が正社員採用試験のために勉強など支援してくれた」と党に信頼を寄せて青年が入党しました。この経験から、党支部・党員が厚い信頼を得ていることが確信になり、党員拡大がすすみました。

教職員の職場でも、自治体の職場でも、民間大企業の職場でも、「競争と分断」による職場支配で、労働者がバラバラにされるなか、日本共産党員が仲間を大切にし、自らの仕事に誇りをもって頑張っている姿が、若い労働者に共感と信頼を広げ、入党につながっています。長期にわたって職場支部の灯を守り、不屈にたたかってきた多くの労働者党員は、生き方、仕事、人間性について信頼を得ています。ここに確信をもち、職場での党づくりの本格的な前進のために力をつくそうではありませんか。（拍手）

青年・学生のなかでの党づくり——党をあげた系統的なとりくみを

青年・学生のなかでの党づくりでは、若い世代のなかでおこっている前向きの変化に着目して、党をあげた系統的なとりくみをおこなうという姿勢が大切であります。

千葉県は、若い世代のなかでの前向きの変化に働きかける系統的なとりくみで、この間、学生党員を倍加、学生党支部と民青同盟学生班を3倍にするなど、前進にふみだしています。

その教訓の一つは、青年の思い、願いにこたえた、多面的なとりくみをおこなっていることであります。高校生に学ぶ楽しさを伝える「無料塾」のとりくみ、各地での「青年トーク集会」のとりくみ、被災地ボランティアのとりくみなどをつうじて、若い世代との結びつきが広がり、党と民青同盟の拡大につながっていきました。

二つは、県委員会の援助のもと、地区委員会が「若い世代対策委員会」などを、機関メンバー、若手の地方議員、地域支部、職場支部、青年支部、新婦人グループなどの参加で立ち上げ、党をあげたとりくみにしていることであります。60代、70代が中心の地域支部も、「青年のことは青年がやればいい。自分たちには難しい」というところから、「自分たちのつながりのなかに青年はいる。支部のみんなで青年に働きかけよう。年配だからこその知恵もある。支部のまわりに民青班をつくろう」と大きく変化してきています。

三つは、県委員会が、系統的なイニシアチブを発揮していることであります。毎週の常任委員会の最初の議題に青年・学生問題を位置づけ、毎回必ず担当者から報告と提案がされる。みんなも発言するようになり、知恵を出し合うようになっています。県委員長は、「青年・学生への援助は系統的にやらないと成功しません。県委員長、地区委員長の役割は大きい。一部門の活動にしたらできません」とのべています。

千葉県の経験は、特殊な条件のもとでの特別の活動ではありません。県委員会が本腰を入れて、若い世代のなかでの活動を系統的に強化するなら、全国どこでも前進が可能であることを示しています。

未来は青年のものであり、日本共産党こそもっとも未来ある党であります。若い世代の前向きの変化に働きかけ、その思いにこたえた多面的な活動に粘り強くとりくみながら、この分野での大きな前進を必ずかちとろうではありませんか。（拍手）

党機関の指導体制の強化——困難はあっても財政を強化して常勤者を増やそう

決議案第27項は、党機関の指導の改善・強化、態勢の強化についてのべています。

そのなかで、決議案は、指導機関の中核をなす常勤常任委員の減少による体制の弱体化を直視し、「党機関の常勤常任委員を都道府県委員会は7人以上、地区委員会は3人以上にすることをめざす」と提起しました。この提起に、多くの支部などから「大歓迎」との声が寄せられる一方、「地区委員会の実情から難しい」などの意見も寄せられています。

この課題は、2010年代に党勢倍加と世代的継承という党建設の大目標を本気でやり上げようと考えたら、絶対不可欠の課題であります。たしかに困難はともないますが、正面から挑戦をはかることを訴えたいと思うのであります。

兵庫県・神戸西地区委員会のとりくみを紹介したいと思います。この地区委員会では、財政困難や専従者の定年退職などから専従者が減り、2人になってしまった。そうしたもとで、地区常任委員会で、「このままでは将来の見通しが立たない。財政が大変だから専従者が減るのは仕方ないと考えていいのか。これでいっせい地方選挙や次期国政選挙をたたかえるのかと思うと、どうしても専従者を増やしたい。常勤常任委員は指導機関の中核、地区党の宝。あとを継げる若い専従者がほしい」と繰り返し討議してきました。そして、地区委員長を先頭に、党費納入率を5割台から8割台に前進させ、機関紙誌代、募金活動をあわせて、機関財政を安定的に黒字化してきました。現在、すでに財政的には常勤常任3・5人分を確保したとのことであります。

「財政が大変だから常勤者が減るのは仕方ない」と考えるのか、「困難はあっても財政を強化して常勤者を増やそう」と考えるのか。ここが分かれ目だと思います。神戸西地区委員会の経験にも学び、中核となる常勤常任委員体制を強めつつ、非常勤の同志を結集して補助指導機関の確立・強化の努力を強めることを訴えるものであります。

市民道徳と社会的道義を大切にした党づくり
——規律委員会報告を受けて

一昨日おこなわれた第10回中央委員会総会は、第25回大会期の規律委員会の報告を承認しました。規律委員会の報告では、党内のごく一部ですが、社会のさまざまな退廃的風潮におかされ、社会的モラルに反する誤りをおかして、党への信頼を深く傷つけている実態があったことが、のべられました。

決議案がのべているように、国民の党への理解や信頼は、党の路線、政策、理念への信頼とともに、身近に活動している党員の一人ひとりの生活や言動を通して寄せられます。党規約の精神にのっとり、市民道徳と社会的道義を大切にした党づくりに取り組むことは、国民の多数者を社会変革の事業に結集していくうえでも、各分野の国民運動の健全な発展のうえでも、欠くことのできない重要な仕事だということを、かさねて強調しておきたいと思います。

新しい日本を開く開拓者の党として、強く大きな党づくりに挑戦しよう

全党の同志のみなさん。

開始された〝第3の躍進〟を本格的な流れに発展させ、２０１０年代を民主連合政府樹立への道を開く躍進の時代にできるかどうかは、決議案が提起した２０１０年代の党建設の二大目標――党勢の倍加と党の世代的継承が成功するかどうかにかかっています。根本的には、ひとえにここにかかっているといっても過言ではありません。

私たちは、新しい日本を開く開拓者の党であります。党建設の事業は、党の活動のなかでも最も大きな困難と苦労をともなう仕事です。しかし、この困難は突破のしがいがある困難であり、その苦労は最も価値ある苦労ではないでしょうか。

みなさん。開拓者の精神をもって、強く大きな党づくりに挑戦し、この分野で必ず躍進の流れをつくりだし、民主連合政府への道を切り開こうではありませんか。（拍手）

決議案第6章（日本における未来社会の展望について）について

最後に、決議案第6章について報告します。

決議案第6章は、〝社会主義をめざす国ぐに〟をどうみるかについてのべるとともに、日本における未来社会が、きわめて豊かで壮大な展望をもっていることを明らかにしました。全体としてこの章は、全党討論で、きわめて積極的に受け止められ、歓迎されています。それを前提にして、いくつかの点について報告しておきたいと思います。

〝社会主義をめざす国ぐに〟という評価をめぐる疑問について

一つは、「決議案」が、中国やベトナム、キューバについて、「これらの国ぐには、

〝社会主義に到達した国ぐに〟ではなく、〝社会主義をめざす国ぐに〟――『社会主義をめざす新しい探究が開始』（綱領）された国ぐに」とのべていることについてであります。

討論のなかで、一部から、これらの国ぐにについて、「〝社会主義をめざす国ぐに〟――『社会主義をめざす新しい探究が開始』（綱領）された国ぐに」とも呼べないのではないかという疑問が提起されています。

この疑問にたいして三つの点をのべておきたいと思います。

第一に、綱領での「社会主義をめざす新しい探究が開始された」国ぐにという評価は、私たち自身の自主的判断にもとづくものであるということです。

私たちは、中国、ベトナムなどの現状を評価する場合に、何よりも重要になるのは、それぞれの国の指導勢力が社会主義の事業に対して真剣さ、誠実さをもっているかどうかにあると考えています。

ただし、私たちは、中国やベトナムの国のなかに住んでいるわけではありませんから、これらの国の指導勢力の真剣さや誠実さをはかる基準としては、対外的な関係――外部にあらわれた事実を評価するしかありません。つまり、私たちが対外的にこういう国ぐにの指導勢力と接して、私たち自身が判断するしかありません。あるいは、これらの国ぐにが現実にとっている対外路線を分析して判断するしかありません。

そういう取り組みの全体のなかで、私たちは、これらの国ぐにで「社会主義をめざす新しい探究」が開始されていると判断してきたということであります。

第二に、同時に、私たちは、決議案でのべているように、これらの国ぐにの「社会主義をめざす新しい探究」が成功をおさめることを願いつつ、その将来について、楽観的、固定的に見ているわけでは、決してありません。

決議案では、中国について、「社会主義という以前に、社会主義の経済的土台である発達した経済そのものを建設することに迫られているのが現状である」こと、「そこには模索もあれば、失敗や試行錯誤もありうるだろう。覇権主義や大国主義が再現される危険もありうるだろう。そうした大きな誤りを犯すなら、社会主義への道から決定的に踏み外す危険すらあるだろう」と率直に指摘しつつ、「私たちは、〝社会主義をめざす国ぐに〟が、旧ソ連のような致命的な誤りを、絶対に再現させないことを願っている」と表明しています。

第三に、わが党は、これらの国ぐにが抱えている「政治上・経済上の未解決の問題」などについて、内政不干渉という原則を厳格に守りながら、いうべきことは率直に、また直接に伝えてきました。

中国共産党に対しては、中国の政治体制の将来、「反日デモ問題」、「チベット問題」、尖閣諸島問題、「防空識別圏」の問題などについて、率直にわが党の見解を伝えてきました。

ベトナム共産党指導部との会談でも、政治体制の問題、原発輸出の問題、TPPの問題などについて、率直にわが党の見解を伝えてきました。

このように節度と原則を守りながら、率直に、また直接に問題点を指摘している政党は、日本でほかに存在しません。陰で「勇ましい」ことをいう党はあっても（笑い）、面と向かって堂々と問題を提起してきた党は、日本共産党しかありません。（拍手）

ここには、日本共産党が半世紀以上にわ

たって貫いてきた自主独立の精神の発揮があることを、私は、強調したいと思うのであります。（拍手）

資本主義社会との対比で、未来社会がどんなに壮大な可能性を開くかを大いに語ろう

いま一つは、日本における未来社会の展望についてであります。

決議案は、社会主義日本の展望について、「その出発点の諸条件を考えるならば、きわめて豊かで壮大な展望が開けてくる」ことを、発達した経済力の水準が土台となること、自由と民主主義、政治体制でも日本国憲法で保障された到達点が土台になることなどを示して、大きな視野で明らかにしました。

科学的社会主義の立場は、未来社会の詳細な設計図を示そうという「青写真主義」をとるものではありません。しかし、資本主義社会との対比で、未来社会がどんなに壮大な可能性を開くものとなるかを、大いに語っていくことはできますし、それはきわめて重要であります。

こうした角度からの論究の一つとして、決議案が、「今日の資本主義がきわだった『浪費型の経済』——繰り返される恐慌、大量生産・大量消費・大量廃棄、金融経済の異常な肥大化など——になっている」こと、社会主義的変革によって、人間による人間の搾取を廃止するとともに、「現在の資本主義経済のこうした『浪費的な部分』は一掃されることになるだろう」と指摘していることに注目してほしいと思います。

マルクスは、『資本論』のなかで、浪費的な性格という角度から、つぎのような資本主義に対する痛烈な批判をおこなっています。

「資本主義的生産様式は、個々の事業所内では節約を強制するが、その無政府的な競争制度は、社会的な生産手段と労働力の際限のない浪費を生み出し、それとともに、こんにちでは不可欠であるがそれ自体としては不必要な無数の機能を生み出す」（新書版③906ページ、上製版Ｉｂ902ページ）。

「資本主義的生産は、他のどの生産様式よりもずっとはなはだしく、人間、生きた労働の浪費者であり、血と肉の浪費者であるだけでなく、脳髄と神経の浪費者でもある」（新書版⑧150ページ、上製版Ⅲａ151ページ）。

マルクスによる「社会的な生産手段と労働力の際限のない浪費」「人間、生きた労働の浪費者、血と肉の浪費者であるだけでなく、脳髄と神経の浪費者」という資本主義批判は、長時間・過密労働、不安定雇用によって、生きた人間が使い捨てられ、健康と生命がむしばまれている、現代日本資本主義への痛烈な批判そのものになっているではありませんか。この恐るべき「人間、生きた労働の浪費」が一掃されたら、社会と経済のどんな素晴らしい発展がもたらされるか、その可能性ははかり知れないではありませんか。（拍手）

また、マルクスが「こんにちでは不可欠であるがそれ自体としては不必要な無数の機能」という角度から、資本主義の浪費的性格の批判をおこなっていることにも注目したいと思います。決議案でのべている「大量生産・大量消費・大量廃棄」「金融経

済の異常な肥大化」などは、それにあたるでしょう。

現代の資本主義のもとでは、絶えず新しい型の商品が開発される一方で、古い型の商品の部品はなくなり、不必要に新しい商品を買うことを強制されます。資本主義に固有の利潤第一主義がもたらすこうした「大量生産・大量消費・大量廃棄」がもたらす浪費がただされたら、人間的な生活に使用される富ははるかに豊かなものになるでしょう。

現代の世界資本主義のもとでは、「世界の金融経済」は「世界の名目ＧＤＰ」（実物経済）と比較すると、3倍もの規模に膨れ上がっています。そのかなりの部分は、余剰資金として、すなわち実物経済の成長に必要のないお金として膨れ上がっていると指摘されています。余剰資金は投機マネーとなって、実物経済、実体経済を支配し、諸国民の生活に深刻な打撃をあたえています。通貨を暴落・高騰させたり、原油や穀物価格を高騰させたり、証券市場を投機市場に変えて企業にリストラ競争を強制させるなど、その破壊的影響はきわめて甚大であります。そのもたらす浪費がただされたら、ここでも諸国民の生活ははるかに豊かなものとなるでしょう。

こうした問題も含めて、未来社会においては、現在の資本主義に固有な「浪費的部分」は一掃され、そのことによって、現在の社会的生産の規模と水準でも、日本国民すべてに「健康で文化的な最低限度の生活」を十分保障し、労働時間の抜本的な短縮を可能にすることになるでしょう。そのことが、社会のすべての構成員の人間的発達を保障する土台となり、社会と経済の飛躍的な発展への道を開くことになるでしょう。

みなさん。現代の資本主義社会との対比で、日本における社会主義・共産主義の未来が、どんなに壮大な可能性をもつのかを、大いに語っていこうではありませんか。（拍手）

最後に、決議案の結びの言葉を引用して、報告を終えたいと思います。

「発達した資本主義国から社会主義・共産主義の道に踏み出した経験を、人類はまだもっていない。この変革の事業のもつ可能性は、その出発点の諸条件を考えるならば、はかりしれない豊かさと壮大さをもつものとなるだろう。そのことに深い確信をもって、未来を展望し、前進しよう」。（拍手）

以上をもって、中央委員会を代表しての報告を終わります。（拍手）

（「しんぶん赤旗」２０１４年1月17日付）

志位委員長の結語

1月18日報告
同日採択

代議員および評議員のみなさん、おはようございます。インターネット中継をご覧の全国のみなさんにも心からのあいさつを送ります。

私は、中央委員会を代表して、討論の結語をおこないます。

3日間の討論で、65人が発言しました。全体として、決議案と中央委員会報告が豊かに深められるとともに、この間の党の躍進の息吹がみなぎり、涙あり、笑いあり、明るく、楽しい、素晴らしい感動的な討論となりました。(拍手)

討論での発言を希望された方は、197人におよびます。用意した発言原稿があれば事務局に届けていただきたいと思います。新しい中央委員会の責任で、今後の活動に生かすようにしたいと思います。

全国からの反響――全党討論での疑問に答えた報告が歓迎された

大会初日の中央委員会報告は、全国でインターネット中継され、党内通信、ユーストリーム、ニコニコ動画の合計で、党内外の5万人以上が視聴しました。この数は、空前のものでありまして、東京ドームが(笑い)4万7千人で(笑い)超満員だそうですから、東京ドームにも入りきれないほどの多数の人々が(笑い)、一度に報告を視聴してくれたということになります。(拍手)

全国から寄せられた感想文は、628通にのぼりました。

全国からの感想では、中央委員会報告は、きわめて積極的に受け止められています。報告で解明した決議案の各章ごとの強調点が、それぞれ大きな共感をもって受け止められています。

とりわけ、中央委員会報告が、「自民党と共産党との間の『受け皿政党』が消滅した」という問題、「『自共対決』といっても力に差がありすぎるのでは」という疑問、「〝社会主義をめざす国ぐに〟をどうみるか」など、全党討論で出された疑問・意見にかみあって、決議案の内容をさらに突っ込んで解明したことに、強い歓迎の声が寄せられています。「うちの支部にきて疑問に答えてくれたようだ」、「こんなことをやる党はほかにない」という声も寄せられました。

中央委員会が決議案を提案し、2カ月にわたって全党討論をおこなう、そこで出された疑問・意見にたいして、大会での中央委員会報告でさらに深めて解明する、そして全党的な認識がさらに大きく豊かに発展する――ここにはわが党ならではの双方向での認識の発展の民主的プロセスがあり、民主集中制という組織原則の生命力の発揮があることを、私は、まず強調しておきたいと思うのであります（拍手）。またそれは、政党らしい政党としての日本共産党の真価を示すものでもあることをのべておきたいと思います。（拍手）

「自共対決」――全国の地域・職場・学園がその舞台となっている

大会討論での発言は、どれも教訓に富み、豊かで素晴らしいものでした。私は、開会あいさつで、全国の実践によってつくられたたくさんの「宝」を、討論によって全党の共有財産にしようと訴えましたが、すべての発言が「宝」というべき内容のものでした。結語でそのすべてをとりあげていきますと、同じ時間がかかることになりますので（笑い）、近く発行する『前衛』大会特集号で、全員の発言を収録いたします。ぜひそのすべてを今後の活動に生かしていただきたいと思います。

結語では、参加者のみなさんが共通して、感動をもって受け止めたであろう、いくつかの特徴点についてのべておきたいと思います。

第一は、「『自共対決』時代の本格的な始まり」という情勢の特徴が生き生きと語られたということであります。

国会議員の代議員から、躍進した参議院を舞台にした臨時国会での「自共対決」のたたかいが意気高く語られました。都議会議員に初当選した25歳の代議員は、日本共産党都議団を代表して発言し、躍進都議団が、議会での存在感を大きく高め、都民の力と一体に都政を動かしていることを、元気いっぱいに語りました。

同時に、「自共対決」の舞台は、国会や都議会などだけではありません。多くの代議員の発言で、全国の地域・職場・学園が「自共対決」の舞台となっていることが語られたことは、重要だと思います。

中部地方の学生支部の代議員は、学生の多くが、高い学費、奨学金の返済、生活費のために、劣悪な条件でのアルバイトで働かねばならない実態をのべるとともに、「学生をとりまく今の苦しい現状は、今の自民党政治が生み出してきたものです。自民党政治によってあきらめさせられている学生に、あなたも社会を変えていける力をもっているんだと伝え、社会変革の運動にかかわってもらうこと、ここにこそ、学園の中における『自共対決』があります。それだけに、強くて大きな共産党や民青同盟をつくることが非常に求められていると思います」と語りました。

石川県の加賀市議会議員の代議員は、昨年10月の選挙で得票を大きく増やして8期目の当選をかちとった経験を語りました。「宣伝カーを走らせてみますと、本当に驚きました。いままでは、『あんたはいいけれど、共産党やさけだめなんだ』『共産党いわんと歩け』、こんな声が必ずかかりました。しかし、今回の選挙では、『共産党の候補者というのはあんたか』とわざわざ顔を見に出てきてくれる。『共産党、いまがんばらな、がんばるときねえぞ』、こんな声をかけてくる人があちこちいて、私は本当に驚きました」、「私は、本当に今回の選挙戦をたたかいながら、『自共対決』という共産党への期待をこれほど感じた選挙戦はありませんでした」と、情勢の大きな変化への確信を報告しました。

山形県の真室川町議会議員の代議員は、移住して空白克服に挑戦、町始まって以来の日本共産党の議席を獲得したたたかいを語りました。一軒一軒を訪ねながら要求を聞き、党員と「しんぶん赤旗」読者をコツコツ増やして、勝利への道を開いた。党の議席を得たことで福祉灯油の実現、TPP交渉からの脱退を求める全会一致の意見書の採択など、町政を動かす奮闘をするなかで、自民党籍の町議からも、「『自共対決』の時代というが本当にそうだ。まともな政党は自民党と共産党、あとはもともと自民党を出ていった人たちがやってる」との声が寄せられたことを紹介し、「町でも本格的な『自共対決』の時代が始まったといえます」と語りました。

長野県の県議団副団長の代議員も、情勢の劇的変化を報告しました。「わが町の町長はセイコーエプソンの元専務。専務時代には共産党撲滅宣言を発したと自ら告白した人です。しかしこの町長は、わが町の県議会議員は共産党議員で十分だといって、選挙も応援してくれるようになっています。また、この新年には、隣町の元町長さんから、『自共対決』から『共自対決』になるようにいっそうがんばってほしいという年賀状をいただきました」との報告でした。「共自対決」という言葉が、元町長さんという党外の有力者から語られたのは、うれしいことであります。（拍手）

全国いたるところで、こうした新しい情勢が生まれています。ある代議員は発言のなかで、「大会決議案は、『自共対決』時代の本格的始まりを迎え、日本共産党は『対決』『対案』『共同』で現実政治を動かしていくとしています。私は、これらのことは中央や国会議員団だけがやることでなく、全国すべての支部への直接の提起だと受け止めています」とのべましたが、まさにその通りであります。

安倍自公政権による国民の利益に背く悪政の震源地は政府と国会ですが、その被害は全国すべての地域・職場・学園にあらわれています。そして、その害悪と正面から対決し、打開の展望を示し、広く国民と共同する——この仕事を担える党は、全国どこでも日本共産党をおいてほかにありません（拍手）。全国のすべての地域・職場・学園が、「自共対決」の舞台となっているのであります。この胸おどる情勢の新しい特徴をとらえて、元気いっぱい奮闘しようではありませんか。（拍手）

そして、「自共対決」ということにかかわって、多くの代議員が発言で、「実力のうえでも『自共対決』といえる時代を切り開こう」という決意を語ったことはきわめて重要であります。中央委員会報告でものべたように、政治的には「自共対決」の構図は明瞭ですが、自民党と日本共産党との間に力において差があることは事実であります。

「実力のうえでも『自共対決』といえる時代を」——これを合言葉に奮闘しようではありませんか。強く大きな党をつくり、実力のうえでも日本共産党が自民党とがっぷり四つで対決する時代を開こうではありませんか（拍手）。そして、いずれは、私たちが政権与党を担い、民主連合政府を樹

立する、この大きな志をもって奮闘しようではありませんか。（拍手）

２０１０年代に「党勢倍加」をやりきる展望が見えてきた

第二は、討論を通じて、２０１０年代に「党勢倍加」――50万の党員、50万の「しんぶん赤旗」日刊紙読者、２００万の日曜版読者を――という大目標をやりきる展望が見えてきたということであります。これは大目標ですが、この峰へと至る道が見えてきたということであります。

福岡県委員長の代議員は、「この大目標をやりきれる確信が、いま自分の中にあるのか」と問いかけつつ、党大会にむけてとりくんだ「大運動」の実践が大きな確信を与え始めていることを語りました。「党創立90周年・党勢拡大大運動」で県内の五つの地区委員会、「第26回大会成功・党勢拡大大運動」で県内の四つの地区委員会が党員拡大の目標を達成した中身を見て、「私は、倍加はできるという思いを強くしております」とのべました。「直鞍《ちょくあん》地区委員会は、現勢比でこの４年間で36％の党員を増やしました。嘉飯《かはん》地区委員会は、35％の党員を増やしました。田川地区委員会も22％の党員を増やしました。東・博多地区委員会も32％の党員を増やしました。２０１０年代、いまから６年間に倍加できないことはない。こういう思いを非常に強くしているところです」との発言でした。「大運動」の実践をへて、この大目標への展望が見えてきたとの発言でした。

奈良県・奈良地区委員長の代議員は、大会にむけた「大運動」の党員拡大の目標を超過達成した経験を語りました。「安倍政権の暴走にストップをかけたい。歩けば歩くほど、決議案のいう情勢の激変を実感でき、またそれが確信となって運動が加速しました」という発言でありました。有名な中小企業の前社長さん、保守の後援会長をしていた大きな農家のご夫婦、空白の大経営で青年から幹部まで多くの新入党員を迎えたことなどが、情勢の激変を体現しているとの確信が語られました。そして、「これは通過点です。成長・発展目標までにはまだまだ大きな距離を残していますが、党勢倍加も夢ではない。この手がかりをつかみました」と発言しました。

北海道・十勝地区委員長の代議員は、「成長・発展目標」の実現をめざし、有権者比１％の党員をめざし、毎月、毎月、追求するもとで、約９割の支部が党員を迎え、４３１人を増やし、３自治体が１％を超えたことを報告しました。ＴＰＰ反対の「オール十勝」の運動をつくる、「十勝経済懇談会」にとりくむなど、たたかいと一体で党勢拡大にとりくむ姿が語られました。「大会決議案を十勝でどう具体化し、運動するかを考えるとわくわくします。党勢の倍加と世代的継承をなしとげるため、困難を喜びとして展望をもってがんばりたい」との抱負と展望が語られました。

神奈川県・川崎北部地区・地域支部の代議員は、少し前までは支部会議も開催されない困難支部でしたが、２人の新入党員を迎えたことをきっかけに変化が始まり、支部会議、学習、政治討議を大切にするなかで支部が成長し、地域で原発ゼロの運動、教育懇談会、無料塾など要求実現の活動にもとりくむなかで、第25回党大会から党員の倍加を達成したと報告しました。この同志は、「志位委員長は、『２０１０年代に党員の倍加』と言われましたが、この目標にわが支部は賛同できません」と発言しました（笑い）。一瞬、びっくりしましたが（笑い）、つぎの発言は頼もしいものでした。「なぜなら、わが支部の目標は20％の得票率、有権者比1％の１２０人の党をつくること、党員の5倍化だからです。私たちの支部は、この目標は達成できると感じています。25大会からの党員の倍加は、実質1年半でやりました。今後は、まず有権者０・５％、60人を次期党大会までにやり、２０１０年代で１２０人をやりきることを公約したいと思います」。この公約は、しっかり大会として受け止めて（笑い）、ともに実現のためにがんばりたいと思います。（拍手）

山口県・北南地区・地域支部長の代議員は、「大運動」で党勢を倍加し、１００人の党を達成し、有権者比で０・５％を超えた経験を語りました。前支部長が病気で亡くなり、支部長の引き受け手がいなくなるもとで、「もうやるしかない」と支部長を引き受けた。ともかく党員を増やしていかないと始まらないと毎月党員を増やしつづけるとともに、党員一人ひとりを大切にする支部活動にとりくみ、党費納入は１００％になっているとのことでした。こうしたとりくみのなかで、ある新入党員は、「私は幼いときから家族に恵まれず、愛情を知らずに成長してきました。人を頼ることもなく一生懸命に生きてきました。また悩みがあっても安心して相談する人もなく、一人で考えて行動してきました。いま、私は、本当に心からほっとする友だちや心地よい居場所を見つけることができました。それが東部支部です。私にとって家族です」と語ったとのことでした。こういう家族のような温かい連帯で結ばれた支部をつくるなかで、20カ月連続で入党者を迎え、事務所の壁には「入党おめでとう」という歓迎会の横断幕が張りっぱなしとの報告でありました。これからもずっと張りっぱなしが続くことを、心から願うものであります。（笑い、拍手）

大会決議案は、２０１０年代に「党勢倍加」を実現しようという大目標を提起しましたが、この大目標は実現できる。たいへんな仕事だけれどもやってやれないことはない。報告と発言を聞いてやれると感じた。「倍加でなく5倍化だ」。そうした確信と展望が、多くの発言によって語られたことは、素晴らしいことではありませんか。

この確信と展望を、党大会のこの会場のなかだけに終わらせないで、全国にしっかり持ち帰り、みんなで力をあわせて実践しようではありませんか。全国すべての党組織と党支部が、２０１０年代に50万の党、50万の日刊紙読者、２００万の日曜版読者という「党勢倍加」に正面から挑み、それを必ず実現し、どんな情勢が展開しようとも、日本共産党のさらなる躍進をかちとり、民主連合政府樹立への道を切り開こうではありませんか。（拍手）

「世代的継承」――職場でも若い世代でも、展望が大きく見えてきた

第三は、２０１０年代のもう一つの党建設の大目標――「世代的継承」をやりとげ

る展望も大きく見えてきたということであります。

職場での党づくりについて、発言のなかで、教職員の職場、自治体の職場、民間大企業の職場、医療の職場など、さまざまな分野で、労働者のなかで人間的信頼を強めながら、新入党員を迎えている経験が語られ、この分野に広大な可能性が存在することが示されました。

とくに若い世代の代議員から、自らが、社会と政治のさまざまな矛盾に苦しむなかで、日本共産党と出会い、入党し、たくましく成長しつつある姿が語られたのは、どれも胸を熱くするものであり、本当に感動的でありました。

宮城県・塩釜地区の勤務員で、参院選の比例代表候補としても奮闘した代議員は、大学卒業後にブラック企業に就職して体も心も傷つき退職し、つぎに派遣労働につき、期間社員になりましたが、東日本大震災を口実に雇い止めにされた。雇用の確保を求めて組合に入り、仲間とともに会社とのたたかいに立ちあがった。時にくじけそうになるなか、最後まで寄り添って国会でも職場でも一緒になってたたかったのが日本共産党でした。その姿に感動し、入党を決意し、会社責任で雇用を確保するという画期的内容で和解をかちとったとのことでした。「このことは人生で大きな確信となりました。自分たちのような人たちをもう出したくない。その一番の近道はこの党を大きくすることだと決意し、地区委員会の専従になりました」との報告でありました。

青森県の民青同盟委員長の代議員も、自らの変化を語りました。高校卒業後に、ブラック企業に就職し、過酷な労働とパワハラまがいのことまでされて、やむなく仕事をやめた。再就職先が見つからず、自分にも自信がなくなり、「自分は何をしてもだめだ。何でいまの若い人はこんなつらい思いをしないといけないのか」と思っていた。そんなモヤモヤをまるごと受け止めたのが日本共産党でした。悪いのは自分でなく社会だと教えられ、社会は声をあげれば変えられると目が開かされ、入党しました。この同志は、「私自身そうであったように、いま大変な実態に置かれている青年にとって、まさに日本共産党は大きな希望です。いま、多くの青年がこの希望である党との出会いを待っています。苦しんでいる青年にこの希望を届けられるよう、私も先頭に立ち奮闘します」とのべました。多くのみなさんが、この発言を胸を熱くして聞いたのではないでしょうか。

三重県の南部地区・青年支部の代議員も、ブラック企業に就職して、過酷なノルマとパワハラに苦しみ、退職するなかで、「自分の生き方が悪かったのだ」と考え、精神的に追い詰められていった。そんななかで党員だったお兄さんが、ブラック企業の実態、その違法性、それが横行する社会問題について話してくれた。憲法の学習会に参加すると、青年党員が、親身になって悩みを聞いてくれた。そういうなかで入党を決意したとの報告でした。この同志は、「入党してからはとてもいきいきと活動できました。党と出会うまではどん底にいた私が、党との出会いをきっかけに、この矛盾だらけの社会を変えたいという思いと同時に、私のようなつらい思いをするような人を増やしたくないという思いも芽生えました」と語りました。参院選で躍進をかちとるなかで、妹さんも入党し、兄妹4人全員が党員となったとのことでした。4人の兄妹のみなさんを祝福したいと思います（拍手）。この代議員の同志は、民青同盟の専従として頑張る決意を語りました。

東京の学生支部の代議員は、首都圏の学生9条の会を中心としたメンバーとともに「ピースナイト9」というイベントを企画し、400人もの参加者を集めた経験を語りました。この同志は、「今の学生の中に『平和を守るために何とかしないと』というエネルギーがかつてない大きさで秘められている」と語りました。そして、こうしたなかで日本共産党が確かな対案・展望を示すことが大切だと語りました。この同志自身も、その確かな展望にとても驚き、深い確信をもって入党し、専従活動家になる決意をしたとのことでありました。この同志は、「今こうして決意しているのも、たまたま日本共産党に出会えたからだと思います。私は学生運動にあこがれ、過激派の活動にも興味をもっていました。軍歌が好きで右翼少年でもありました。だけれどたまたま大学に『資本論』を読む社研サークルがありました。信頼できる先輩がたまたま日本共産党員でした。だから自分はこうして今いられるんだと思います」と語りました。日本共産党との出会いがなければ、自分はどうなっていたかが率直に語られました。過激派とか右翼の方に行かなくて本当によかったと思って発言を聞きました（笑い、拍手）。日本共産党との出会いが、その若者にとって、どんなに大切かを痛感した発言でした。

若い同志の発言を聞くと、この世代が、労働の面でも、学業の面でも、たいへんな苦しみと困難に直面している。同時に、それを「自分が悪い」、「自己責任だ」というようにとらえさせられ、苦しんでいる。「二重の苦しみ」のなかにあることを痛感させられます。そういう若い世代にとって、「悪いのはあなたではない。社会と政治の仕組みにこそ問題はある。この仕組みを変えるたたかいにこそ未来はある」と語りかける日本共産党の存在が、どんなにかけがえのないものであるかを深く実感させられた発言でした。

若い同志が語った、「いま大変な実態に置かれている青年にとって、まさに日本共産党は大きな希望です。いま、多くの青年がこの希望である党との出会いを待っています」という言葉をみんなで胸に刻もうではありませんか。（拍手）

若い世代の悩みや苦しみに心を寄せ、そのエネルギーに信頼を寄せ、願いや思いをともに実現し、日本共産党という希望を届け、未来への展望を語ることは、若い世代に対する日本共産党の重大な責任であります。そのことを全党の共通の自覚とし、日本の未来を担う世代を党に迎え入れる活動を、全党をあげて大きく発展させようではありませんか。（拍手）

決議案が提起した2010年代の党建設の二大目標――「党勢倍加」と「世代的継承」は、実現できる。困難はあるがなせばなる。私は、このことが討論をつうじて明らかになったことは、この大会の最大の成果だと思います（拍手）。大会でつかんだこの確信を、全党の実践によって、必ず現実のものとしようではありませんか。（拍手）

決議案が示した未来社会の展望が、大きな反響を呼んでいる

第四は、決議案が示した日本における未来社会の展望が、発言のなかでも生き生き

と語られ、全国からの感想でも大きな反響を呼んでいることであります。

長野県書記長の評議員は、「決議案第2章の世界の動きをどうとらえるのか、第6章の未来社会の展望は、山々に囲まれた長野でも、どこか遠い話ではなく現実的で日々の活動に生きた力を与えている」ことを語りました。多くの若者、多くの人々が、「人間、生きた労働の浪費」の中で暮らしていること、「未来社会への展望は、いまの若い世代、生きた人間の使い捨てにより苦しむあらゆる世代への確かなメッセージになっている」とのべました。世界論、未来社会論を、身近な問題として、大いに語っていこうということが、多くの発言のなかでのべられたことは、たいへん重要であります。

決議案、中央委員会報告、討論をつうじて、また全国からの感想を見ても、未来社会の問題は、苦手の問題ではない。決して難しい問題でもない。ここにこそ、資本主義を乗り越えるロマンと大志をもって活動する日本共産党の真骨頂がある。これを大いに国民のなかに語り広げようという機運が大きく広がりつつあることは、たいへんにうれしいことであります。

ここでも日本共産党の魅力を大いに発揮して、党の躍進をかちとろうではありませんか。（拍手）

各国大使館からの来賓の感想について

この大会には、在日の大使館の方々に傍聴をご案内しましたが、16の国の大使館からご出席がありました。

私たちは、初日に、お礼をかねて懇談する機会がありましたが、その席で、多くの方々から、こうした機会をつくったことへの歓迎が語られたのはうれしいことでありました。

懇談で出された感想を若干紹介いたします。

ある大使館の方は、「報告を聞いて、集中的に内外の問題を学んだという思いです」と語っていました。

ある方は、「報告は3時間でしたが、とても面白く、時間が気になりませんでした。日本の政治の特徴がよくわかりました」と感想をのべてくれました。

別のある方からも、「報告は長さを感じさせない内容のあるものでした。初めて参加しましたが、予想していたよりも面白かった（笑い）。報告は、4時間でも、5時間でも聞きたかった」（笑い）と評価をいただきました。

ある方は、「中南米カリブ海諸国共同体（CELAC）の動きを詳しく、その重要な意義を正確にとらえて報告されていたのはさすがであり、感謝したい」と語りました。

ある欧州の大使館の方は、「首相の靖国参拝について、わが国も心配しているし、欧州の人たちは全体として靖国参拝は不必要だったとみなしている」とのべていました。

ある方は、「党本部もそうだが、この大会会場も日本共産党の自前のものだったと聞いて驚いています。国民に根差した党だということが外国人の私にもよくわかる」とのべてくれました。

ある方は、「自民党の大会に参加したことがありますが、同時通訳がなく、まった

く中身がわからなかった」（笑い）と語っていました。どうも内容以前の問題があったようです。（笑い）

ある方は、党大会代議員が830人だと伝えると、「みんな共産党員なのですか」（笑い）と驚きの表情で語りました。

それぞれの国の政府と日本共産党は、共通点もあれば、相違点もあると思いますが、日本共産党が、内外の諸問題について、綱領を指針に、現実に根差した、まとまった包括的な見解をもっていることについて、高い評価をいただいたことは、たいへんにうれしいことであります。（拍手）

大使館の傍聴の招待は、相互理解と友好のためにおこなってきましたが、今後もこういう機会を大いに発展させていきたいと考えています。

決議案の修正・補強について

つぎに、全党討論、中央委員会報告、大会での討論をふまえて修正・補強した決議案を提案します。

決議案の修正・補強提案は、お手元に文書で配布してあります。傍線の部分が修正・補強する箇所であります。

大会にむかう全党討論では、1000件以上の意見・提案が寄せられ、それらの多くは決議案の内容を歓迎し、よりよいものに練り上げる立場のものでした。それらの一つひとつを吟味したうえで提案します。

可能な限り、修正・補強提案に反映させる立場で作業をおこないました。ただ、いくつかの政策課題を盛り込む要望もありましたが、すでに発表している政策上の見解や活動上の方針を決議にすべて盛り込むのは難しいということを了解いただきたいと思います。

主な修正・補強箇所はつぎのとおりであります。

――第1章・第4項。参議院選挙で獲得した議案提案権の活用は、決議案では第3章・第14項「暮らしと経済」の「雇用のルール」の箇所に入れていましたが、わが党は、ブラック企業規制法案だけでなく、通常国会には秘密保護法廃止法案を提出することにしており、議案提案権の活用は、もとより雇用に限られたものではありません。わが党の「対案」の姿勢を具体化するものとして、こちらに移動するほうが適切と考え、修正をほどこしました。

――第2章・第10項。地球温暖化対策の問題では、9中総後に開催されたCOP19の結果と、そこでの日本政府の態度に非難が集中した事実を踏まえて補強しました。

――第3章・第12項。決議案では「安倍自公政権は、衆参両院で多数を握り、内閣支持率でも比較的に高い数字が出ている。しかし、政治的には決して盤石ではない」となっていました。しかし、9中総以後の2カ月間に、安倍政権の暴走への国民的批判が高まるなかで、ジグザグはありますが、全体として安倍内閣の支持率が下がり、とくに北海道、福島、沖縄をはじめ、5割を割る状況も生まれてきています。だいたい安倍内閣の支持率について、わが党が「高い」と将来にわたって保証することなど、できようはずもありません（笑い）。そこで、「比較的に高い数字が出ている」を削除しました（拍手）。また、侵略戦争を肯定する歴史観は、昨年12月の安倍首相の靖国参拝という「行動」に端的に示されたので、そのことを補強しました。

――第3章・第13項。東日本大震災の復興とともに、来年で20年を迎える阪神・淡路大震災の復興問題に関連して、阪神・淡路大震災の被災者を、借り上げ復興公営住宅から追い出す動きとのたたかいは、他の地域の被災者支援とも結びついた問題であり、各地の運動と連帯して奮闘するという趣旨の一文を補いました。

――第3章・第14項。農林漁業のところで、9中総後、政府が5年後に国内での生産調整を廃止する方針を決めたという事態の進展があったので、それを補いました。

――第3章・第15項。原発とエネルギーのところで、2011年8月に発表した提言「放射能汚染から、子どもと国民の健康を守る対策」の内容の中心点を、具体的にのべるようにしました。福島県内にいる人も、他の地域に避難した人も、区別なく、国の責任で十分な対策をとることは、住民の要求をふまえ、党が早くから一貫して主張してきたことであります。他方、中央委員会報告でのべたように、安倍政権は昨年12月、原発を「基盤となる重要なベース電源」として将来にわたって維持・推進し、「再稼働を進める」とした「エネルギー基本計画案」を発表し、原発新増設や核燃サイクル計画にも固執しており、そのことをふまえて、一連の補強をおこないました。

――第3章・第16項。沖縄をはじめとする米軍基地問題では、安倍政権の強圧により、昨年12月、仲井真知事が新基地建設のための公有水面埋め立てを承認するという事態の進展をふまえて、補強しました。

――第3章・第18項。①の「憲法改定、『海外で戦争をする国づくり』を許さない」のところでは、決議案の段階では「秘密保護法案」が国会に提出され、衆議院での審議のさなかでしたが、昨年12月の秘密保護法強行という事態と、これにたいする反対のたたかいの高揚をふまえて補強しました。

――同じく第3章・第18項。全党討論のなかで、学術・文化・スポーツに関する記述の補強をもとめる意見が少なからず寄せられました。学術分野では、安倍政権のもとで大学の反動的再編の動きが強められていることへの批判が広がっており、文化分野では、国家予算に占める文化予算の割合がフランスの10分の1、韓国の8分の1程度の水準だということにたいして、芸術団体などが文化予算の抜本的増額の署名にとりくみ、2012年に請願が国会で初めて採択されるなどの動きがあります。それをふまえて、一項目を新たに補うことにしました。

――同じく「政治改革」の項目は、2012年の総選挙、昨年の参議院選挙にたいして、全国で弁護士グループなどが起こした「1票の格差」訴訟で、これまですべての裁判所で「違憲」「違憲状態」という判断が示されるなど、社会的にも大きな注目を集めている問題であり、党としての提案部分も含めて、よりくわしい記述にしました。

――第3章・第19項。ここでも、昨年12月の安倍首相の靖国神社参拝という事実と、中央委員会報告でのべたように、中国政府・韓国政府はもとより、米国政府をはじめ欧米諸国などからも批判が上がった事実をふまえて、補強をおこないました。

――第3章・第20項。統一戦線のところでは、中央委員会報告でもふれた全労連の役割について、その活動の発展への期待も含めて、明記することにしました。

――第4章・第22項。いっせい地方選挙

については、中央委員会報告でのべたように、「国政に重大な異変が起こらない限り、私たちが直面する最も早い全国的政治戦」になるという意義づけをはじめ、若干の補強をおこないました。

——第4章・第23項。決議案が、昨年の都議選と参院選の総括をおこなった第8回中央委員会総会決定の内容をふまえて、テレデータを使った「声の全戸訪問」を選挙活動の柱にすえるとしたことについて、全党討論のなかで質問や意見がいくつか寄せられましたが、このことについては、なぜこういう方針を出したのかが分かるように補強しました。

——第5章・第24項の②は、決議案では「大運動」の呼びかけとなっていますが、これを全面的に書き改め、現時点での「大運動」の到達点をふまえ、教訓と課題を具体的にまとめることにしました。また、第25項では、支部指導部の確立の問題や、学習・教育での課題を、第26項では、職場支部援助委員会の問題を、第27項では、県・地区党学校などの確立の問題を補強しました。

——第6章・第28項では、中国に対して、節々で率直にわが党の見解を伝えた内容として、中国が昨年11月に新たに設定した「防空識別圏」問題にたいするわが党の見解を伝えたことを追加しました。

以上が、主な修正・補強点ですが、そのほかにも字句上の修正は多数あります。一言一句詳細な検討をくわえて、修正・補強の作業をおこないました。

この大会での最大の任務は、新しい情勢のもとで、日本共産党が内外の諸問題にとりくむ大会決議案を練り上げ、決定することにあります。私は、その案は、ここに、全党の英知を結集して立派に仕上げられたと確信するものであります。（拍手）

いっせい地方選挙の躍進にむけて全党が総決起しよう

全党のみなさん。

最後に、3日間の討論のほとんどすべてで、来年のいっせい地方選挙をはじめとする直面する地方選挙に勝利する強い決意が語られました。どの発言も、強く大きな党をつくって、この政治戦で躍進をかちとる抱負と決意を語ったものでした。この党大会は、いっせい地方選挙での躍進にむけた一大決起集会にもなったと思います。（拍手）

この大会の真価が試される最初の舞台が、いっせい地方選挙であります。それは、〝第3の躍進〟を本格的な流れにしていくうえで、私たちが直面する最初の関門でもあります。

やるべきことは明瞭です。

やりきる展望も明瞭です。

全党が心一つに、まずいっせい地方選挙での躍進を必ずかちとり、それに引き続く国政選挙での躍進をかちとり、２０１０年代を民主連合政府への道を開く躍進の時代にしていくために頑張り抜こうではありませんか。（長く続く拍手）

以上をもって、中央委員会を代表しての結語といたします。（長く続く拍手）

（「しんぶん赤旗」２０１４年1月20日付）

第26回党大会における中央委員会の選出基準と構成について

1月17日報告

一　中央委員会の選出基準について

①　中央委員、准中央委員は党規約第13条にもとづき、党歴2年以上を必要とする。

②　品性、能力、経歴を客観的、総合的に評価して選考する。

二　中央委員会の構成について

中央委員会は、第26回党大会決定の任務遂行のため、つぎのような構成とする。

①　中央委員会の選出基準にかない、第26回党大会決定を責任と気概をもって実践する同志たちによって構成する。

構成にあたっては、中央役員とその部署は、党規約に定められた任務の分担、機能の分担であって、身分的な序列でないという党の一貫した立場を堅持する。

②　激動する内外情勢に対応して、中央委員会の正確、機敏な指導性を保障するため、党の革命的伝統、理論と政治的・政策的水準を継承・発展させる立場から、知恵と経験に富んだ試練ずみの幹部と、有能な活力ある新しい幹部、若い幹部との適切な結合をはかる。

③　中央、地方できたえられた新しい幹部、若い幹部の抜てきにつとめるとともに、一定の年齢に達している同志であっても、現在、中央、地方ではたしている役割、蓄積された知恵と経験を生かすため、中央委員会として必要とする同志は、ひきつづき中央委員に推薦する。また、退任を希望している同志でも、健康、家庭などの条件が許す同志は慰留する。

④　先の第25回党大会で、党の将来を担う幹部養成の立場から、「准中央委員は、中央委員の候補期間として活動実績を評価し、次期党大会で自動的に中央委員に推薦することはせず、こだわりなく交代をはかる」ことを確認し、新しい幹部、若い幹部を大胆に准中央委員に選出した。今党大会でもこの考えを継承し、新しい、若い同志を准中央委員に推薦するとともに、こだわりなく交代をはかる。

⑤　先の第25回党大会の中央委員会選出で高まった、女性中央役員の比率を維持するよう努力する。

⑥　ひきつづき全都道府県委員会に中央役員を配置する。

⑦　中央役員の推薦にあたっては、能力とともに、党規約第5条「党員の権利と義務」の第1項に規定された品性を重視する。

⑧　以上の諸点を重視しつつ、党の現状を考え、第25回党大会選出の中央委員会の構成員数をこえないよう極力努力する。

⑨　健康、家庭など種々の事情で、今回中央役員を退任される同志も、それぞれの条件を生かし、適切な任務につき、積極的な役割を果たしてもらえるようにする。

（「しんぶん赤旗」２０１４年1月18日付）

中央委員会が推薦する中央役員候補者名簿の提案にあたって

幹部会副委員長　浜野　忠夫

1月17日報告

中央委員会が党規約第13条にもとづいて推薦する、次期中央委員会の名簿の提案について報告します。

中央委員会が推薦する中央役員は、中央委員153人、准中央委員45人、計198人であります。皆さんに配布されている中央役員候補者名簿の通りであります。

この中央役員候補者名簿は、先に承認された「第26回党大会における中央委員会の選出基準と構成について」にしめされている選出基準にかない、第26回党大会決定の実践に責任と気概をもってあたる同志たちによって構成することを考え、作成したものです。

そのいくつかの特徴、作成にあたって留意したことについて説明します。

第一に、激動する内外情勢に対応して、中央委員会の正確・機敏・安定した指導性の発揮を保障し、蓄積された理論、政治的・政策的水準を継承・発展させ、第26回党大会決定を遂行できる中央委員会を構成することをなによりも重視しました。

第二に、中央・地方で指導的役割を果たしている、活力ある新しい幹部、若い将来性のある幹部の抜てきに努力するとともに、党の現状に即して、一定の年齢に達している同志であっても、中央・地方の任務上必要と判断し、かつ健康・家庭などの条件の許す同志については、その蓄積された知恵と経験を中央委員会の活動に生かすため、ひきつづき推薦名簿に加えるようにしました。同じ立場から、中央役員の退任を申し出られた同志でも慰留し、辞意を撤回してもらい名簿に加えた同志もおられます。

第三に、今回もかなりの県委員会で、健康・年齢・家庭などの事情で県委員長が交代されます。また、中央の任務に就くため交代される同志もおられます。これらの県委員会については、その県のなかで現に指導的役割を果たしている同志のなかから、次期の地方党機関の指導部の構成を考えて、それにふさわしい同志を、地方党機関の財政状況も考慮し、中央委員に推薦しています。そして今回も全都道府県委員会に中央委員を配置する案になっています。

第四に、党勢や地方党機関の体制、財政問題など党の現状を考慮し、中央役員数は第25回党大会選出数を超えないように努力しました。同時に、地方党組織で活動する同志の抜てきに重きを置き、党本部の各専門部で活動する同志の推薦は最小限にとどめました。その結果中央委員は153人で、前党大会より10人少なくなっています。准中央委員については、前党大会で、党の将来を担う幹部養成の立場から確認された「准中央委員」についての考え方を継承し、可能な範囲で、新しい幹部、若い幹部を抜てきし、新たに21人を推薦しています。准中央委員は合計45人となり、前党大会よりも10人多くなっています。中央委員と准中央委員を合わせた、中央役員の総数は198人で、前党大会と同数です。

第五に、中央役員総数を増やさない努力のなかでも、地方党組織で活動する同志の抜てきを重視した結果、新しく中央委員に推薦している20人のうち18人、また新しく准中央委員に推薦している21人のうち13人が、地方党組織で活動している同志からの抜てきとなっています。

第六に、前党大会で准中央委員に選出され、今回も准中央委員に推薦されている同志が24人いますが、4年間の活動実績からみて、本来なら中央委員に推薦できる同志も少なくありません。また党本部の各専門部で活動する同志のなかにも中央役員に推薦したいと思う同志もおられます。しかし、中央役員総数を前党大会よりも増やさないという立場から、ごく限られた同志の推薦にとどめることにしたため、今回推薦に至らなかったという事情があります。

第七に、前党大会では、党のなかで、女性党員の果たしている役割にふさわしく、中央役員の女性役員比率を高めるために、都道府県議会など地方政治の分野で活動している同志や中央や地方で活動する女性幹部の多くを中央役員に抜てきし、比率を20・2％に高めました。今回もこの比率を維持する努力をおこない、198人の中央役員のうち、女性の中央役員は42人で、前党大会より2人増え、比率も21・2％となり、女性の中央役員は人数も比率も過去最高となっています。

また中央役員候補者の年代構成では、20歳代が1人、30歳代が12人、40歳代が32人となるなど、60歳未満の同志が過半数になっており、若い世代をふくむ構成となっています。

大会決議や大会報告でも「党の世代的継承を、綱領実現の成否にかかわる戦略的課題」として提起しました。党指導部の構成についても、ひきつづき新しい若い幹部、女性幹部の養成、抜てきにいっそう努力し、世代的継承をはかっていくことが求められています。

第八に、選考にあたっては、能力を重視するとともに、党規約第5条の「党員の権利と義務」の第1項で「市民道徳と社会的道義をまもり、社会にたいする責任をはたす」と規定していることを重くとらえ、品性を重視しました。

第九に、中央委員会の構成の検討にあたっては、中央役員とその部署は、共通の事業に携わるもののあいだでの、党規約で定められた任務の分担、機能の分担であって、身分的序列ではないという、わが党の一貫した立場を貫いています。

第十に、今回、退任される中央委員は30人です。健康、家庭、年齢などの事情で、自ら退任を申し出られた同志たちです。中央役員から退かれてもこれまで蓄積された知恵と経験を生かし、条件の許す限り、党機関の要請にこたえて、適切な任務につき、ひきつづき党に貢献していただけるようにしたいと思います。

現在の准中央委員のなかで6人の同志が今回推薦されていません。辞退を希望された同志とともに、第25回党大会での「こだわりなく交代する」という幹部政策にもとづくものです。これらの同志たちは、党の将来をになう幹部の一員であることに変わりはありません。ひきつづき、それぞれの部署で活動されることを期待するものです。

以上が、中央委員会が推薦する次期中央委員会を構成する中央役員名簿についての説明です。名簿をよく検討ください。

つぎに、党規約第28条にもとづき、中央委員会が党大会に報告し承認をもとめる名誉役員の名簿について報告します。

第22回党大会で名誉役員制度の実施要領として「20年以上の中央役員歴をもつ同志のなかから推薦する」ことを決めています。今回1人から辞退の申し出がありましたので、新しく12人の同志を推薦しています。

第25回党大会で名誉役員として承認いただいた53人のなかで、6人の同志が亡くなりました。また4人の同志から名誉役員辞退の申し出がありました。したがって、43人の同志を前党大会にひきつづき推薦しています。

あわせて55人の同志を名誉役員として、党大会の承認を受けたいと思います。

以上で中央委員会が推薦する次期中央委員会を構成する中央役員候補者名簿と名誉役員の名簿についての報告を終わります。

（「しんぶん赤旗」２０１４年１月18日付）

1中総で決定した新しい中央委員会人事の選出の経過についての報告と紹介

中央委員　浜野　忠夫

1月18日報告

第1回中央委員会総会で決定した新しい中央委員会の人事の選出の経過についての報告と紹介を行います。

先ほど開かれた第1回中央委員会総会では、前期の常任幹部会の責任で新三役案を提案しました。1中総ではこの提案を検討し、全員一致で新しい三役を選出しました。新三役を紹介します。

（略）

ただいま紹介しました新三役の7人で直ちに会議を開き、協議の上、幹部会委員の名簿を作成し、1中総に提案、55人の方々が選出されました。

新しい幹部会は会議を開き、常任幹部会を選出しました。また、書記局員、中央機関紙編集委員を任命しました。再開された1中総では、幹部会の提案で、訴願委員、規律委員、監査委員を任命しました。

新しい常任幹部会は、22人で構成します。紹介します。

（略）

次に常任幹部会構成員以外の幹部会委員の33人の氏名を紹介します。

（略）

最後に、山下芳生書記局長を責任者とする書記局の構成員、書記局次長、書記局員の氏名を紹介します。

（略）

これをもって、1中総で決定した新しい中央委員会の人事の選出経過の報告と紹介を終わります。

（「しんぶん赤旗」２０１４年１月19日付）

志位委員長の閉会あいさつ

1月18日

代議員および評議員のみなさん。

いよいよこの大会も最後の議事を迎えました。

私は、選出された新しい中央委員会を代表して、第26回党大会の閉会のあいさつを申しあげます。

この党大会は、安倍自公政権の暴走と国民のたたかい、日本共産党のたたかいが正面からぶつかり合う、激突の情勢のもとで開かれました。代議員・評議員のみなさんの奮闘によって、第26回党大会は、歴史的情勢のもとで日本の進路を照らし出す歴史的大会として大きな成功をおさめることができました。（拍手）

（1）

党大会は、決議案を全党の英知を結集して練り上げ、大会決議として仕上げました。この大会決議は、二つの意味で重要な意義をもつものです。

第一は、大会決議が、「自共対決」の本格的な始まりの時期に、わが党が直面するあらゆるたたかいの具体的指針となっているということです。それは、安倍政権との対決の熱い焦点をあきらかにするとともに、日本共産党が、「対決」「対案」「共同」の三つの政治姿勢を堅持して、情勢を切り開く役割を果たそうとよびかけています。

第二に、大会決議の意義は、直面するたたかいの指針にとどまるものではありません。それは綱領の実現――民主連合政府にむけた道筋を明らかにするものとなっています。２０１０年代に、党勢倍加と世代的継承という党建設の二大目標をやりとげることは、その最大の保障をなすものであります。さらに大会決議は、日本における未来社会の展望――社会主義・共産主義の壮大な展望と可能性を明らかにしました。

こうして私たちは、綱領路線に立ち、直面する熱いたたかいの具体的指針とともに、民主連合政府を展望して、さらに未来社会を展望して、大きなスケールで未来にわたって日本共産党の進路を照らす科学的指針を確立したのであります。（拍手）

みなさん。この歴史的な大会決議を、一刻をあらそって全党員のものとしようではありませんか。その中身を広く国民に語り広げようではありませんか。（拍手）

（2）

この大会での討論は、党の躍進という新しい時代を反映して明るく、活気に満ち、素晴らしく豊かな教訓に満ち満ちたものとなりました。その内容の特徴については、すでに結語でのべましたが、討論は、党を前進させ、躍進させる法則的な大道を、全党のみなさんの苦闘と探求をつうじて明らかにするものとなりました。とりわけ、大会決議が提起した2010年代の党建設の二大目標――「党勢倍加」と「世代的継承」は実現できることが、討論をつうじて明らかになったことは、この大会の最大の成果であります。

私は、よびかけたい。大会決議、中央委員会報告とともに、討論で示された「宝」の教訓を全党のものにしていこうではありませんか。代議員・評議員のみなさんが、大会に参加して、自らが感動した内容を大いに語り、討論で得られた豊かな数々の「宝」を全党の共有財産にしていくうえで、先頭に立って奮闘されることを心から願うものであります。（拍手）

（3）

党大会は、全党の先頭に立って綱領と大会決定を実行する、新しい中央委員会を選出しました。新しい中央委員会は、先ほどご報告したように、新しい指導機構を選出しました。

新しい中央委員会の構成は、前党大会の方針を踏襲し、将来性のある若い幹部、新しい幹部を抜てきするとともに、知恵と経験に富んだ試練ずみの幹部と力をあわせて、指導的責任を果たすというものになっています。

この4年間、新たに中央役員になった同志をはじめ、少なくない若い同志が、生き生きと力を発揮し、大きく成長していきます。

今回の新しい中央委員会にも、20歳代、30歳代、40歳代の同志、45人が、中央委員、准中央委員に選出されました。女性幹部の比重も前回より高まりました。党の現在とともに未来をになう若い幹部のみなさんが、政治的にも、理論的にも、人間的にも大きく成長することを、私は、強く願ってやみません。

党の三役の体制としては、市田忠義同志が、書記局長から副委員長に就任し、山下芳生同志が、新書記局長に選出されました。市田同志が長年にわたって書記局長としてご苦労いただいたことに心から感謝するとともに、新しい部署での活躍を願うものであります（拍手）。山下新書記局長は、国会でも、地方党機関でも、中央の指導機関の一人としても試されずみの同志であり、その経験と若さを生かして、大いに活躍されることを願うものであります。（拍手）

私は、新しい中央委員会の責任者として、新中央委員会が、広い国民から信頼される活動を展開するとともに、全国各地で頑張っておられる支部と党機関のみなさんの悩みや声をしっかり受け止め、支部と党員のみなさんにも信頼される、イニシアチブを発揮するために、もてる知恵と力を発揮してがんばりぬく決意を表明するものです。（拍手）

（4）

この大会の成功は、代議員・評議員のみなさんの奮闘によるものであるとともに、各分野で献身的に働いていただいた多くの要員のみなさんによって支えられたものであります。

私は、新しい中央委員会を代表して、大会を支えてくださったすべてのみなさんに心からの感謝を申し上げるものであります。（拍手）

同志のみなさん。立派な大会決議ができました。討論によってたくさんの「宝」を得ることもできました。

さあ、実践にとりかかりましょう。

まず、大会の真価が問われるのは、いっせい地方選挙です。

大会決定を指針に、強く大きな党をつくり、目前の政治戦で必ず勝利をかちとろうではありませんか。（拍手）

そして、来るべき国政選挙でさらなる躍進をかちとろうではありませんか。（拍手）

この党大会が、民主連合政府への道を開いた歴史的党大会になったと歴史に刻まれるよう、奮闘しようではありませんか。（拍手）

以上で、第26回党大会の閉会のあいさつを終わります。（拍手）

ともに頑張りましょう。（長く続く拍手）

（「しんぶん赤旗」２０１４年1月19日付）

大会で選出された新中央委員会

（五十音順、○印は新）

中央委員（153人）

青山　慶二（59）
赤嶺　政賢（66）
秋元　邦宏（58）
○鮎沢　　聡（49）
有坂　哲夫（72）
安藤　晴美（62）
石井妃都美（63）
石坂　千穂（65）
和泉　重行（67）
市田　忠義（71）
市谷　知子（45）
井上　哲士（55）
○猪原　　健（37）
○今田　真人（67）
今田　吉昭（56）
岩井　鐵也（68）
岩切　幸子（56）
岩中　正巳（61）
植木　俊雄（67）
○上田　俊彦（60）
浮揚　幸裕（64）
内田　　裕（57）
浦田　宣昭（71）
遠藤いく子（65）
大内久美子（64）
大久保健三（66）
太田　善作（66）
大嶽　隆司（52）
大幡　基夫（62）
大山とも子（58）
岡　　宏輔（66）
緒方　靖夫（66）
岡野　　隆（66）
荻原　初男（60）
奥谷　和美（61）
○貝瀬　　正（62）
笠井　　亮（61）
加藤　清次（63）
○金森　　亨（57）
紙　　智子（59）
上岡　辰夫（66）
上村　秀明（55）
神山　悦子（58）
川田　忠明（54）
神田　米造（64）
久保田　仁（57）
倉林　明子（53）
小池　　晃（53）
小木曽陽司（59）
穀田　恵二（67）
小菅　啓司（63）
小谷　三鈴（59）
○後藤　勝彦（45）
小林　年治（61）
小日向昭一（66）
○駒井　正男（46）
小松崎久仁夫（67）
小村　勝洋（59）
佐々木憲昭（68）
佐々木陸海（69）
佐竹　峰雄（65）
佐藤　　登（69）
佐藤　文明（64）
佐藤　正美（73）
沢田　　博（63）
志位　和夫（59）
塩川　鉄也（52）
○下角　　力（61）
庄子正二郎（58）
白川　容子（47）
菅原　則勝（55）
大門実紀史（58）
高橋千鶴子（54）
田代　忠利（60）
棚橋　裕一（67）
田邊　　進（65）
田村　一志（51）
○田村　智子（48）
田村　守男（64）
○田母神　悟（65）
田谷　武夫（62）
塚地　佐智（57）
津島　忠勝（68）
○鶴渕　賢次（64）
寺沢亜志也（60）
土井　洋彦（51）
土肥　靖治（61）
中井作太郎（65）
中島　康博（60）
長久　理嗣（66）
成中　春樹（63）
西口　　光（65）
仁比　聡平（50）
練木　恵子（51）
野元　徳英（64）
長谷川忠通（69）
○畑中　孝之（50）
畑野　君枝（56）
○畠山　和也（42）
○花田　　仁（52）
浜野　忠夫（81）
林　　紀子（51）
林　　通文（73）
林田　澄孝（63）
春名　直章（54）
土方　明果（63）
○日高　伸哉（58）
火爪　弘子（58）
平兼　悦子（65）
広井　暢子（66）
樋渡士自夫（60）
節木三千代（55）
藤田　　文（56）
藤田　　健（53）
不破　哲三（83）
紅谷　有二（70）
○細野　　歩（56）
細野　大海（62）
堀江ひとみ（54）
本間　和也（59）
前屋敷恵美（63）
増子　典男（73）
松岡　　清（63）
○松田　隆彦（55）
松原　昭夫（57）
水谷　定男（66）
南　　秀一（64）
宮本　岳志（54）
武藤　明美（66）
村上　昭二（66）
最上　清治（64）
盛　　美彰（59）
森原　公敏（64）
柳浦　敏彦（68）
柳下　礼子（67）
○柳　　利昭（58）
柳沢　明夫（76）
○山内　佳子（59）
山口　勝利（69）
山口　富男（59）
山下　満昭（61）
山下　芳生（53）
山村　糸子（63）
山村　幸穂（58）
山谷富士雄（66）
結城　久志（66）
吉田　信夫（64）
吉田　秀樹（60）

吉村　吉夫（69）
米田　吉正（66）
若林　義春（63）
和田　一男（60）
渡辺　和俊（62）

准中央委員（45人）

阿藤　和之（43）
石山　淳一（48）
○伊勢田良子（39）
板橋　利之（48）
○井上　和好（62）
梅村早江子（49）
岡田　政彦（48）
○金倉　昌俊（39）
河江　明美（48）
○吉良　佳子（31）
○香西　克介（37）
小越　進（52）
坂井　希（41）
椎葉　寿幸（37）
○柴岡　祐真（29）
○清水　忠史（45）
○関口　達也（54）
祖父江元希（38）
○高柳　幸雄（48）
田川　実（49）
○辰巳孝太郎（37）
○田中　悠（32）
谷本　諭（43）
辻　慎一（49）
○堤　文俊（54）
○長瀬由希子（45）
西澤　亨子（54）
○能勢みどり（41）
○林　伸明（47）
○福井　英俊（46）
藤野　保史（43）
○藤森　毅（53）
藤原　正明（41）
古川　京美（47）
堀内　照文（41）
町田　和史（37）
○松岡　勝（40）
宮本　次郎（38）
宮本　徹（41）
○村上　亮三（57）
村主　明子（42）
○本村　伸子（41）
○山本　豊彦（51）
吉岡　正史（39）
吉俣　洋（40）

日本共産党中央委員会の機構と人事

幹部会委員長　志位　和夫
書記局長　山下　芳生
幹部会副委員長　市田　忠義
同　緒方　靖夫
同　小池　晃
同　浜野　忠夫
同　広井　暢子

常任幹部会（22人）

幹部会が選出した常任幹部会はつぎのとおりです。（五十音順、○印は新）市田忠義、岩井鐵也、浦田宣昭、太田善作、大幡基夫、緒方靖夫、笠井亮、紙智子、小池晃、小木曽陽司、穀田恵二、志位和夫、高橋千鶴子、○田村守男、寺沢亜志也、中井作太郎、浜野忠夫、広井暢子、不破哲三、水谷定男、○森原公敏、山下芳生

幹部会（55人）

第1回中央委員会総会が選出した幹部会はつぎのとおりです。（五十音順、○印は新）○青山慶二、赤嶺政賢、○鮎沢聡、有坂哲夫、○石井妃都美、市田忠義、○井上哲士、岩井鐵也、岩中正巳、植木俊雄、浮揚幸裕、浦田宣昭、大久保健三、太田善作、大幡基夫、岡宏輔、緒方靖夫、岡野隆、○荻原初男、笠井亮、紙智子、上岡辰夫、小池晃、小木曽陽司、穀田恵二、佐々木憲昭、佐々木陸海、志位和夫、高橋千鶴子、棚橋裕一、○田村一志、田村守男、○田母神悟、寺沢亜志也、○土井洋彦、中井作太郎、西口光、長谷川忠通、浜野忠夫、林通文、土方明果、広井暢子、不破哲三、紅谷有二、増子典男、○松田隆彦、水谷定男、森原公敏、柳浦敏彦、山口勝利、山口富男、山下芳生、山谷富士雄、若林義春、渡辺和俊

書記局（21人）

第1回中央委員会総会が選出した書記局長を責任者とし、幹部会が任命した20人の書記局員で構成される書記局はつぎのとおりです。（○印は新）

書記局長　○山下芳生

書記局次長　中井作太郎、佐々木陸海

書記局員　○梅村早江子、太田善作、大幡基夫、○川田忠明、田川実、○辰巳孝太郎、棚橋裕一、○田村一志、田村守男、辻慎一、寺沢亜志也、○土井洋彦、○土方明果、藤田健、○藤野保史、水谷定男、柳浦敏彦、山谷富士雄

訴願委員会、規律委員会、監査委員会

第1回中央委員会総会が任命した訴願委員会、規律委員会、監査委員会はつぎのとおりです。（五十音順、○印は新）

訴願委員会（5人）

責任者　紅谷有二

委員　武村拓三、○姫井二郎、○平井恒雄、○吉田秀樹

規律委員会（9人）

責任者　上岡辰夫

委員　今田吉昭、○貝瀬正、田邊進、○堤文俊、○成中春樹、福島敏夫、○松井信嗣、柳沢明夫

監査委員会（3人）

責任者　○西口光

委員　三羽和夫、○和田一男

中央機関紙編集委員会（21人）

幹部会が任命した中央機関紙編集委員会（21人）はつぎのとおりです。（五十音順、○印は新）

責任者　小木曽陽司

委員　○飯山博之、石渡博明、稲田達、勝又健、○金子豊弘、○工藤徹也、栗田敏夫、近藤正男、○坂本伸子、○高柳幸雄、内藤豊通、西澤亨子、西村央、藤田健、○星野大三、松井信嗣、○宮澤毅、村木博、山沢猛、○山本豊彦

大会で承認された名誉役員

第26回党大会で新たに承認された名誉役員（12人）

足立正恒（75）、石灰睦夫（80）、今井誠（69）、上田均（79）、大内田和子（70）、金井武雄（69）、金子逸（67）、河邑重光（74）、小池潔（71）、反保直樹（64）、福島敏夫（67）、吉井英勝（71）

前大会から引き続き承認された名誉役員（43人）

相羽健次（77）、青木正彦（83）、阿部幸代（65）、石井郁子（73）、岩佐恵美（74）、上原清治（80）、梅田勝（86）、大塚一敏（79）、岡崎万寿秀（84）、奥原紀晴（68）、金子満広（89）、神戸照（90）、木谷八士（79）、工藤晃（87）、小島優（86）、児玉健次（80）、五島寿夫（82）、小西武雄（82）、佐々木季男（84）、佐藤庸子（73）、重山正久（88）、菅生厚（87）、瀬古由起子（66）、多田隈博之（88）、立木洋（82）、田中昭治（87）、寺前巌（88）、成田惻（81）、新原昭治（82）、西井教雄（90）、花房紘（74）、東中光雄（89）、古堅実吉（84）、細野義幸（88）、堀井孝生（75）、松本善明（87）、箕浦一三（86）、宮田安義（92）、八島勝麿（87）、山手叡（87）、雪野勉（87）、吉川春子（73）、若林暹（87）

日本共産党綱領

（第23回党大会　2004年1月17日採択）

一、戦前の日本社会と日本共産党

（一）日本共産党は、わが国の進歩と変革《へんかく》の伝統を受けつぎ、日本と世界の人民の解放闘争《かいほうとうそう》の高まりのなかで、一九二二年七月一五日、科学的社会主義《かがくてきしゃかいしゅぎ》を理論的な基礎とする政党として、創立された。

当時の日本は、世界の主要な独占資本主義国《どくせんしほんしゅぎこく》の一つになってはいたが、国を統治《とうち》する全権限《ぜんけんげん》を天皇が握《にぎ》る専制政治《せんせいせいじ》（絶対主義的天皇制《ぜったいしゅぎてきてんのうせい》）がしかれ、国民から権利と自由を奪うとともに、農村では重い小作料《こさくりょう》で耕作農民をしめつける半封建的《はんほうけんてき》な地主制度《じぬしせいど》が支配し、独占資本主義も労働者の無権利と過酷《かこく》な搾取《さくしゅ》を特徴としていた。この体制のもと、日本は、アジアで唯一《ゆいいつ》の帝国主義国《ていこくしゅぎこく》として、アジア諸国にたいする侵略《しんりゃく》と戦争の道を進んでいた。

党は、この状況を打破《だは》して、まず平和で民主的な日本をつくりあげる民主主義革命《みんしゅしゅぎかくめい》を実現することを当面の任務とし、ついで社会主義革命《しゃかいしゅぎかくめい》に進むという方針のもとに活動した。

（二）党は、日本国民を無権利状態においてきた天皇制の専制支配を倒し、主権在民《しゅけんざいみん》、国民の自由と人権をかちとるためにたたかった。

党は、半封建的な地主制度をなくし、土地を農民に解放するためにたたかった。

党は、とりわけ過酷な搾取によって苦しめられていた労働者階級《ろうどうしゃかいきゅう》の生活の根本的な改善、すべての勤労者、知識人、女性、青年の権利と生活の向上のためにたたかった。

党は、進歩的、民主的、革命的な文化の創造と普及のためにたたかった。

党は、ロシア革命と中国革命にたいする日本帝国主義の干渉《かんしょう》戦争、中国にたいする侵略戦争に反対し、世界とアジアの平和のためにたたかった。

党は、日本帝国主義の植民地《しょくみんち》であった朝鮮、台湾の解放と、アジアの植民地・半植民地諸民族の完全独立を支持してたたかった。

（三）日本帝国主義は、一九三一年、中国の東北部への侵略戦争を、一九三七年には中国への全面侵略戦争を開始して、第二次世界大戦に道を開く最初の侵略国家となった。一九四〇年、ヨーロッパにおけるドイツ、イタリアのファシズム国家と軍事同盟を結成し、一九四一年には、中国侵略の戦争をアジア・太平洋全域に拡大して、第二次世界大戦の推進者となった。

帝国主義戦争と天皇制権力の暴圧によって、国民は苦難《くなん》を強《し》いられた。党の活動には重大な困難があり、つまずきも起こったが、多くの日本共産党員は、迫害《はくがい》や投獄《とうごく》に屈することなく、さまざまな裏切りともたたかい、党の旗を守って活動した。このたたかいで少なからぬ党員が弾圧《だんあつ》のため生命を奪われた。

他のすべての政党が侵略と戦争、反動の流れに合流するなかで、日本共産党が平和と民主主義の旗を掲げて不屈《ふくつ》にたたかい続けたことは、日本の平和と民主主義の事業にとって不滅の意義をもった。

侵略戦争は、二千万人をこえるアジア諸国民と三百万人をこえる日本国民の生命を奪った。この戦争のなかで、沖縄は地上戦の戦場となり、日本本土も全土にわたる空襲《くうしゅう》で多くの地方が焦土《しょうど》となった。一九四五年八月には、アメリカ軍によって広島、長崎に世界最初の原爆が投下され、その犠牲者《ぎせいしゃ》は二十数万人にのぼり（同年末までの人数）、日本国民は、核兵器の惨害《さんがい》をその歴史に刻み込んだ被《ひ》爆《ばく》国民となった。

ファシズムと軍国主義《ぐんこくしゅぎ》の日独伊三国同盟が世界的に敗退するなかで、一九四五年八月、日本帝国主義は敗北し、日本政府はポツダム宣言を受諾《じゅだく》した。反ファッショ連合国によるこの宣言は、軍国主義の除去と民主主義の確立を基本的な内容としたもので、日本の国民が進むべき道は、平和で民主的な日本の実現にこそあることを示した。これは、党が不屈に掲げてきた方針が基本的に正しかったことを、証明したものであった。

二、現在の日本社会の特質

（四）第二次世界大戦後の日本では、いくつかの大きな変化が起こった。

第一は、日本が、独立国としての地位を失い、アメリカへの事実上の従属国《じゅうぞくこく》の立場になったことである。

敗戦後の日本は、反ファッショ連合国を代表するという名目《めいもく》で、アメリカ軍の占領下《せんりょうか》におかれた。アメリカは、その占領支配をやがて自分の単独支配に変え、さらに一九五一年に締結《ていけつ》されたサンフランシスコ平和条約と日米安保《にちべいあんぽ》条約《じょうやく》では、沖縄の占領支配を継続するとともに、日本本土においても、占領下に各地につくった米軍基地の主要部分を存続させ、アメリカの世界戦略の半永久的《はんえいきゅうてき》な前《ぜん》線基地《せんきち》という役割を日本に押しつけた。日米安保条約は、一九六〇年に改定されたが、それは、日本の従属的な地位を改善するどころか、基地貸与《きちたいよ》条約《じょうやく》という性格にくわえ、有事のさいに米軍と共同して戦う日米共同作戦条項《じょうこう》や日米経済協力の条項などを新しい柱として盛り込み、日本をアメリカの戦争にまきこむ対米従属的《たいべいじゅうぞくてき》な軍事同盟条約に改悪・強化したものであった。

第二は、日本の政治制度における、天皇絶対の専制政治《せんせいせいじ》から、主《しゅ》権在民《けんざいみん》を原則とする民主政治への変化である。この変化を代表したのは、一九四七年に施行《しこう》された日本国憲法《にほんこくけんぽう》である。この憲法は、主権在民、戦争の放棄《ほうき》、国民の基本的人権、国権《こっけん》の最高機関としての国会の地位、地方自治など、民主政治の柱となる一連の民主的平和的な条項を定めた。形を変えて天皇制の存続を認めた天皇条項は、民主主義の徹底に逆行する弱点を残したものだったが、そこでも、天皇は「国政に関する権能《けんのう》を有しない」ことなどの制限条項が明記された。

この変化によって、日本の政治史上はじめて、国民の多数の意思にもとづき、国会を通じて、社会の進歩と変革を進めるという道すじが、制度面で準備されることになった。

第三は、戦前、天皇制の専制政治とともに、日本社会の半封建的《はんほうけんてき》な性格の根深い根源となっていた半封建的な地主制度《じぬしせいど》が、農地改革《のうちかいかく》によって、基本的に解体されたことである。このことは、日本独占《どくせん》資本主義《しほんしゅぎ》に、その発展のより近代的な条件を与え、戦後の急成長を促進する要因の一つとなった。

日本は、これらの条件のもとで、世界の独占資本主義国の一つとして、大きな経済的発展をとげた。しかし、経済的な高成長にもかかわらず、アメリカにたいする従属的な同盟という対米関係の基本は変わらなかった。

(五) わが国は、高度に発達した資本主義国でありながら、国土や軍事などの重要な部分をアメリカに握られた事実上の従属国となっている。

わが国には、戦争直後の全面占領の時期につくられたアメリカ軍事基地の大きな部分が、半世紀を経ていまだに全国に配備され続けている。なかでも、敗戦直後に日本本土から切り離されて米軍の占領下におかれ、サンフランシスコ平和条約でも占領支配の継続が規定された沖縄は、アジア最大の軍事基地とされている。沖縄県民を先頭にした国民的なたたかいのなかで、一九七二年、施政権返還《しせいけんへんかん》がかちとられたが、米軍基地の実態は基本的に変わらず、沖縄県民は、米軍基地のただなかでの生活を余儀《よぎ》なくされている。アメリカ軍は、わが国の領空、領海をほしいままに踏みにじっており、広島、長崎、ビキニと、国民が三たび核兵器の犠牲《ぎせい》とされた日本に、国民に隠して核兵器持ち込みの「核密約《かくみつやく》」さえ押しつけている。

日本の自衛隊は、事実上アメリカ軍の掌握《しょうあく》と指揮のもとにおかれており、アメリカの世界戦略の一翼を担《にな》わされている。

アメリカは、日本の軍事や外交に、依然として重要な支配力をもち、経済面でもつねに大きな発言権を行使している。日本の政府代表は、国連その他国際政治の舞台で、しばしばアメリカ政府の代弁者の役割を果たしている。

日本とアメリカとの関係は、対等・平等の同盟関係では決してない。日本の現状は、発達した資本主義諸国のあいだではもちろん、植民地《しょくみんち》支配《しはい》が過去のものとなった今日の世界の国際関係のなかで、きわめて異常な国家的な対米従属の状態にある。アメリカの対日支配は、明らかに、アメリカの世界戦略とアメリカ独占資本主義の利益のために、日本の主権と独立を踏みにじる帝国主義的《ていこくしゅぎてき》な性格のものである。

（六）日本独占資本主義は、戦後の情勢のもとで、対米従属的な国家独占資本主義《こっかどくせんしほんしゅぎ》として発展し、国民総生産では、早い時期にすべてのヨーロッパ諸国を抜き、アメリカに次ぐ地位に到達するまでになった。その中心をなす少数の大企業は、大きな富をその手に集中して、巨大化と多国籍企業化《たこくせききぎょうか》の道を進むとともに、日本政府をその強い影響のもとに置き、国家機構の全体を自分たちの階級的利益の実現のために最大限に活用してきた。国内的には、大企業・財界が、アメリカの対日支配と結びついて、日本と国民を支配する中心勢力の地位を占めている。

大企業・財界の横暴な支配のもと、国民の生活と権利にかかわる多くの分野で、ヨーロッパなどで常識となっているルールがいまだに確立していないことは、日本社会の重大な弱点となっている。労働者は、過労死《かろうし》さえもたらす長時間・過密労働《かみつろうどう》や著しく差別的な不安定雇用に苦しみ、多くの企業で「サービス残業」という違法の搾《さく》取《しゅ》方式までが常態化している。雇用保障でも、ヨーロッパのような解雇規制《かいこきせい》の立法も存在しない。

女性差別の面でも、国際条約に反するおくれた実態が、社会生活の各分野に残って、国際的な批判を受けている。公権力による人権の侵害をはじめ、さまざまな分野での国民の基本的人権の抑圧《よくあつ》も、重大な状態を残している。

日本の工業や商業に大きな比重を占め、日本経済に不可欠の役割を担う中小企業は、大企業との取り引き関係でも、金融面、税制面、行政面でも、不公正な差別と抑圧を押しつけられ、不断《ふだん》の経営悪化に苦しんでいる。農業は、自立的な発展に必要な保障を与えられないまま、「貿易自由化」の嵐にさらされ、食料自給率《しょくりょうじきゅうりつ》が発達した資本主義国で最低の水準に落ち込み、農業復興《ふっこう》の前途《ぜんと》を見いだしえない状況が続いている。

国民全体の生命と健康にかかわる環境問題でも、大企業を中心とする利潤《りじゅん》第一の生産と開発の政策は、自然と生活環境の破壊を全国的な規模で引き起こしている。

日本政府は、大企業・財界を代弁して、大企業の利益優先の経済・財政政策を続けてきた。日本の財政支出の大きな部分が大型公共事業など大企業中心の支出と軍事費とに向けられ、社会保障への公的支出が発達した資本主義国のなかで最低水準にとどまるという「逆立《さかだ》ち」財政は、その典型的な現われである。

その根底には、反動政治家や特権官僚と一部大企業との腐敗した癒着《ゆちゃく》・結合がある。絶えることのない汚職・買収・腐敗の連鎖は、日本独占資本主義と反動政治の腐朽《ふきゅう》の底深さを表わしている。

日本経済にたいするアメリカの介入は、これまでもしばしば日本政府の経済政策に誤った方向づけを与え、日本経済の危機と矛盾《むじゅん》の大きな要因となってきた。「グローバル化（地球規模化）」の名のもとに、アメリカ式の経営モデルや経済モデルを外から強引に持ち込もうとする企《くわだ》ては、日本経済の前途にとって、いちだんと有害で危険なものとなっている。

これらすべてによって、日本経済はとくに基盤の弱いものとなっており、二一世紀の世界資本主義の激動する情勢のもとで、日本独占資本主義の前途には、とりわけ激しい矛盾と危機が予想される。日本独占資本主義と日本政府は、アメリカの目したの同盟者としての役割を、軍事、外交、経済のあらゆる面で積極的、能動的に果たしつつ、アメリカの世界戦略に日本をより深く結びつける形で、自分自身の海外での活動を拡大しようとしている。

軍事面でも、日本政府は、アメリカの戦争計画の一翼を担いながら、自衛隊の海外派兵の範囲と水準を一歩一歩拡大し、海外派兵を既成事実化《きせいじじつか》するとともに、それをテコに有事立法や集団的自衛権《しゅうだんてきじえいけん》行使への踏み込み、憲法改悪など、軍国主義《ぐんこくしゅぎ》復活の動きを推進する方向に立っている。軍国主義復活をめざす政策と行動は、アメリカの先制攻撃戦略《せんせいこうげきせんりゃく》と結びついて展開され、アジア諸国民との対立を引き起こしており、アメリカの前線基地の役割とあわせて、日本を、アジアにおける軍事的緊張の危険な震源地《しんげんち》の一つとしている。

対米従属と大企業・財界の横暴な支配を最大の特質とするこの体制は、日本国民の根本的な利益とのあいだに解決できない多くの矛盾をもっている。その矛盾は、二一世紀を迎えて、ますます重大で深刻なものとなりつつある。

三、世界情勢――二〇世紀から二一世紀へ

（七）二〇世紀は、独占資本主義《どくせんしほんしゅぎ》、帝国主義《ていこくしゅぎ》の世界支配をもって始まった。この世紀のあいだに、人類社会は、二回の世界大戦、ファシズムと軍国主義《ぐんこくしゅぎ》、一連の侵略《しんりゃく》戦争など、世界的な惨禍《さんか》を経験したが、諸国民の努力と苦闘《くとう》を通じて、それらを乗り越え、人類史の上でも画期《かっき》をなす巨大な変化が進行した。

多くの民族を抑圧《よくあつ》の鎖のもとにおいた植民地体制《しょくみんちたいせい》は完全に崩壊し、民族の自決権は公認の世界的な原理という地位を獲得し、百を超える国ぐにが新たに政治的独立をかちとって主権国家となった。これらの国ぐにを主要な構成国とする非同盟諸国会議《ひどうめいしょこくかいぎ》は、国際政治の舞台で、平和と民族自決の世界をめざす重要な力となっている。

国民主権の民主主義の流れは、世界の大多数の国ぐにで政治の原則となり、世界政治の主流となりつつある。

国際連合の設立とともに、戦争の違法化が世界史の発展方向として明確にされ、戦争を未然《みぜん》に防止する平和の国際秩序《こくさいちつじょ》の建設が世界的な目標として提起された。二〇世紀の諸経験、なかでも侵略戦争やその企《くわだ》てとのたたかいを通じて、平和の国際秩序を現実に確立することが、世界諸国民のいよいよ緊急切実な課題となりつつある。

（八）資本主義が世界を支配する唯一《ゆいいつ》の体制とされた時代は、一九一七年にロシアで起こった十月社会主義革命《じゅうがつしゃかいしゅぎかくめい》を画期として、過去のものとなった。第二次世界大戦後には、アジア、東ヨーロッパ、ラテンアメリカの一連の国ぐにが、資本主義からの離脱《りだつ》の道に踏み出した。

最初に社会主義への道に踏み出したソ連では、レーニンが指導した最初の段階においては、おくれた社会経済状態からの出発という制約にもかかわらず、また、少なくない試行錯誤《しこうさくご》をともないながら、真剣に社会主義をめざす一連の積極的努力が記録された。しかし、レーニン死後、スターリンをはじめとする歴代指導部は、社会主義の原則を投げ捨てて、対外的には、他民族への侵略と抑圧という覇権主義《はけんしゅぎ》の道、国内的には、国民から自由と民主主義を奪い、勤労人民を抑圧する官僚主義《かんりょうしゅぎ》・専制主義《せんせいしゅぎ》の道を進んだ。「社会主義」

の看板を掲げておこなわれただけに、これらの誤りが世界の平和と社会進歩の運動に与えた否定的影響は、とりわけ重大であった。

日本共産党は、科学的社会主義《かがくてきしゃかいしゅぎ》を擁護する自主独立《じしゅどくりつ》の党として、日本の平和と社会進歩の運動にたいするソ連覇権主義の干渉《かんしょう》にたいしても、チェコスロバキアやアフガニスタンにたいするソ連の武力侵略にたいしても、断固としてたたかいぬいた。

ソ連とそれに従属《じゅうぞく》してきた東ヨーロッパ諸国で一九八九～九一年に起こった支配体制の崩壊は、社会主義の失敗ではなく、社会主義の道から離れ去った覇権主義と官僚主義・専制主義の破産であった。これらの国ぐにでは、革命の出発点においては、社会主義をめざすという目標が掲げられたが、指導部が誤った道を進んだ結果、社会の実態としては、社会主義とは無縁な人間抑圧型《にんげんよくあつがた》の社会として、その解体を迎えた。

ソ連覇権主義という歴史的な巨悪《きょあく》の崩壊は、大局的な視野で見れば、世界の革命運動の健全な発展への新しい可能性を開く意義をもった。

今日、重要なことは、資本主義から離脱したいくつかの国ぐにで、政治上・経済上の未解決の問題を残しながらも、「市場経済を通じて社会主義へ」という取り組みなど、社会主義をめざす新しい探究が開始され、人口が一三億を超える大きな地域での発展として、二一世紀の世界史の重要な流れの一つとなろうとしていることである。

（九）ソ連などの解体は、資本主義の優位性《ゆういせい》を示すものとはならなかった。巨大に発達した生産力を制御《せいぎょ》できないという資本主義の矛盾《むじゅん》は、現在、広範な人民諸階層の状態の悪化、貧富の格差の拡大、くりかえす不況と大量失業、国境を越えた金融投機《きんゆうとうき》の横行、環境条件の地球的規模での破壊、植民地支配の負の遺産の重大さ、アジア・中東・アフリカ・ラテンアメリカの多くの国ぐにでの貧困の増大（南北問題）など、かつてない大きな規模と鋭さをもって現われている。

核戦争の危険もひきつづき地球と人類を脅《おびや》かしている。米ソの軍拡競争のなかで蓄積《ちくせき》された膨大《ぼうだい》な量の核兵器は、いまなお人類の存続にとっての重大な脅威《きょうい》である。核戦争の脅威を根絶するためには、核兵器の廃絶《はいぜつ》にかわる解決策はない。「ノー・モア・ヒロシマ、ナガサキ（広島・長崎をくりかえすな）」という原水爆禁止世界大会の声は、世界の各地に広がり、国際政治のうえでも、核兵器廃絶の声はますます大きくなっているが、核兵器を世界戦略の武器としてその独占体制を強化し続ける核兵器固執《こしつ》勢力のたくらみは根づよい。

世界のさまざまな地域での軍事ブロック体制の強化や、各種の紛争で武力解決を優先させようとする企ては、緊張を激化させ、平和を脅かす要因となっている。

なかでも、アメリカが、アメリカ一国の利益を世界平和の利益と国際秩序の上に置き、国連をも無視して他国にたいする先制攻撃《せんせいこうげき》戦争を実行し、新しい植民地主義を持ち込もうとしていることは、重大である。アメリカは、「世界の警察官」と自認することによって、アメリカ中心の国際秩序と世界支配をめざすその野望を正当化しようとしているが、それは、独占資本主義に特有の帝国主義的侵略性を、ソ連の解体によってアメリカが世界の唯一《ゆいいつ》の超大国《ちょうたいこく》となった状況のもとで、むきだしに現わしたものにほかならない。これらの政策と行動は、諸国民の独立と自由の原則とも、国連憲章《こくれんけんしょう》の諸原則とも両立できない、あからさまな覇権主義、帝国主義の政策と行動である。

いま、アメリカ帝国主義は、世界の平和と安全、諸国民の主権と独立にとって最大の脅威となっている。

その覇権主義、帝国主義の政策と行動は、アメリカと他の独占資本主義諸国とのあいだにも矛盾や対立を引き起こしている。また、経済の「グローバル化」を名目《めいもく》に世界の各国をアメリカ中心の経済秩序に組み込もうとする経済的覇権主義も、世界の経済に重大な混乱をもたらしている。

（一〇）この情勢のなかで、いかなる覇権主義にも反対し、平和の国際秩序を守る闘争、核兵器の廃絶をめざす闘争、軍事ブロックに反対する闘争、諸民族の自決権を徹底して尊重しその侵害を許さない闘争、各国の経済主権の尊重のうえに立った民主的な国際経済秩序を確立するための闘争が、いよいよ重大な意義をもってきている。

平和と進歩をめざす勢力が、それぞれの国でも、また国際的にも、正しい前進と連帯をはかることが重要である。

日本共産党は、労働者階級《ろうどうしゃかいきゅう》をはじめ、独立、平和、民主主義、社会進歩のためにたたかう世界のすべての人民と連帯し、人類の進歩のための闘争を支持する。

なかでも、国連憲章にもとづく平和の国際秩序か、アメリカが横暴をほしいままにする干渉と侵略、戦争と抑圧の国際秩序かの選択が、いま問われていることは、重大である。日本共産党は、アメリカの覇権主義的な世界支配を許さず、平和の国際秩序を築き、核兵器も軍事同盟もない世界を実現するための国際的連帯を、世界に広げるために力をつくす。

世界は、情勢のこのような発展のなかで、二一世紀を迎えた。世界史の進行には、多くの波乱や曲折、ときには一時的な、あるいはかなり長期にわたる逆行もあるが、帝国主義・資本主義を乗り越え、社会主義に前進することは、大局的には歴史の不可避的な発展方向である。

四、民主主義革命と民主連合政府

（一一）現在、日本社会が必要としている変革は、社会主義革命《しゃかいしゅぎかくめい》ではなく、異常な対米従属《たいべいじゅうぞく》と大企業・財界の横暴な支配の打破《だは》——日本の真の独立の確保と政治・経済・社会の民主主義的な改革の実現を内容とする民主主義革命である。それらは、資本主義の枠《わく》内《ない》で可能な民主的改革であるが、日本の独占資本主義《どくせんしほんしゅぎ》と対米従属の体制を代表する勢力から、日本国民の利益を代表する勢力の手に国の権力を移すことによってこそ、その本格的な実現に進むことができる。この民主的改革を達成することは、当面する国民的な苦難を解決し、国民大多数の根本的な利益にこたえる独立・民主・平和の日本に道を開くものである。

（一二）現在、日本社会が必要とする民主的改革の主要な内容は、次のとおりである。

〔国の独立・安全保障・外交の分野で〕

1　日米安保条約《にちべいあんぽじようやく》を、条約第十条の手続き（アメリカ政府への通告）によって廃棄《はいき》し、アメリカ軍とその軍事基地を撤退させる。対等平等の立場にもとづく日米友好条約《にちべいゆうこうじようやく》を結ぶ。

経済面でも、アメリカによる不当な介入を許さず、金融・為替《かわせ》・貿易を含むあらゆる分野で自主性を確立する。

2　主権回復後《しゆけんかいふくご》の日本は、いかなる軍事同盟にも参加せず、すべての国と友好関係を結ぶ平和・中立・非同盟の道を進み、非同《ひどう》盟諸国《めいしよこく》会議に参加する。

3　自衛隊については、海外派兵立法をやめ、軍縮の措置《そち》をとる。安保条約廃棄後のアジア情勢の新しい展開を踏まえつつ、国民の合意での憲法第九条の完全実施（自衛隊の解消《かいしよう》）に向かっての前進をはかる。

4　新しい日本は、次の基本点にたって、平和外交を展開する。

――日本が過去におこなった侵略《しんりやく》戦争と植民地《しよくみんち》支配《しはい》の反省を踏まえ、アジア諸国との友好・交流を重視する。

――国連憲章《こくれんけんしよう》に規定された平和の国際秩序《こくさいちつじよ》を擁護し、この秩序を侵犯《しんぱん》・破壊するいかなる覇権主義的《はけんしゆぎてき》な企《くわだ》てにも反対する。

――人類の死活にかかわる核戦争の防止と核兵器の廃絶《はいぜつ》、各国人民の民族自決権の擁護、全般的軍縮とすべての軍事ブロックの解体、外国軍事基地の撤去をめざす。

――一般市民を犠牲《ぎせい》にする無差別テロにも報復《ほうふく》戦争にも反対し、テロの根絶のための国際的な世論と共同行動を発展させる。

――日本の歴史的領土である千島列島《ちしまれつとう》と歯舞諸島《はぼまいしよとう》・色丹島《しこたん》の返還をめざす。

――多国籍企業《たこくせききぎよう》の無責任な活動を規制し、地球環境を保護するとともに、一部の大国の経済的覇権主義をおさえ、すべての国の経済主権の尊重および平等・公平を基礎とする民主的な国際経済秩序の確立をめざす。

――紛争の平和解決、災害、難民、貧困、飢餓《きが》などの人道問題にたいして、非軍事的な手段による国際的な支援活動を積極的におこなう。

――社会制度の異《こと》なる諸国の平和共存《へいわきようぞん》および異なる価値観をもった諸文明間の対話と共存の関係の確立に力をつくす。

〔憲法と民主主義の分野で〕

1　現行憲法の前文をふくむ全条項《ぜんじようこう》をまもり、とくに平和的民主的諸条項の完全実施をめざす。

2　国会を名実《めいじつ》ともに最高機関とする議会制民主主義の体制、反対党を含む複数政党制《ふくすうせいとうせい》、選挙で多数を得た政党または政党連合が政権を担当する政権交代制は、当然堅持《けんじ》する。

3　一八歳選挙権を実現する。選挙制度、行政機構、司法制度などは、憲法の主権在民と平和の精神にたって、改革を進める。

4　地方政治では「住民が主人公」を貫き、住民の利益への奉仕を最優先の課題とする地方自治を確立する。

5　国民の基本的人権を制限・抑圧《よくあつ》するあらゆる企てを排除し、社会的経済的諸条件の変化に対応する人権の充実をはかる。労働基本権を全面的に擁護する。企業の内部を含め、社会生活の各分野で、思想・信条の違いによる差別を一掃する。

6　男女の平等、同権をあらゆる分野で擁護し、保障する。女性の独立した人格を尊重し、女性の社会的、法的な地位を高める。女性の社会的進出・貢献《こうけん》を妨げている障害を取り除く。

7　教育では、憲法の平和と民主主義の理念を生かした教育制度・行政の改革をおこない、各段階での教育諸条件の向上と教育内容の充実につとめる。

8　文化各分野の積極的な伝統を受けつぎ、科学、技術、文化、芸術、スポーツなどの多面的な発展をはかる。学問・研究と文化活動の自由をまもる。

9　信教の自由を擁護し、政教分離《せいきょうぶんり》の原則の徹底をはかる。

10　汚職・腐敗・利権の政治を根絶するために、企業・団体献金を禁止する。

11　天皇条項については、「国政に関する権能《けんのう》を有しない」などの制限規定の厳格な実施を重視し、天皇の政治利用をはじめ、憲法の条項と精神からの逸脱《いつだつ》を是正する。

党は、一人の個人が世襲《せしゅう》で「国民統合」の象徴となるという現制度は、民主主義および人間の平等の原則と両立するものではなく、国民主権の原則の首尾一貫《しゅびいっかん》した展開のためには、民主共和制の政治体制の実現をはかるべきだとの立場に立つ。天皇の制度は憲法上の制度であり、その存廃《そんぱい》は、将来、情勢が熟したときに、国民の総意によって解決されるべきものである。

〔経済的民主主義の分野で〕

1　「ルールなき資本主義」の現状を打破し、労働者の長時間労働や一方的解雇《かいこ》の規制を含め、ヨーロッパの主要資本主義諸国や国際条約などの到達点も踏まえつつ、国民の生活と権利を守る「ルールある経済社会」をつくる。

2　大企業にたいする民主的規制を主な手段として、その横暴な経済支配をおさえる。民主的規制を通じて、労働者や消費者、中小企業と地域経済、環境にたいする社会的責任を大企業に果たさせ、国民の生活と権利を守るルールづくりを促進するとともに、つりあいのとれた経済の発展をはかる。経済活動や軍事基地などによる環境破壊と公害に反対し、自然保護と環境保全のための規制措置《きせいそち》を強化する。

3　国民生活の安全の確保および国内資源の有効な活用の見地から、食料自給率《しょくりょうじきゅうりつ》の向上、安全優先のエネルギー体制と自給率の引き上げを重視し、農林水産政策、エネルギー政策の根本的な転換をはかる。国の産業政策のなかで、農業を基幹的《きかんてき》な生産部門として位置づける。

4　国民各層の生活を支える基本的制度として、社会保障制度の総合的な充実と確立をはかる。子どもの健康と福祉、子育ての援助のための社会施設と措置の確立を重視する。日本社会として、少子化傾向の克服に力をそそぐ。

5　国の予算で、むだな大型公共事業をはじめ、大企業・大銀行本位の支出や軍事費を優先させている現状をあらため、国民のくらしと社会保障に重点をおいた財政・経済の運営をめざす。大企業・大資産家《だいしさんか》優遇の税制をあらため、負担能力《ふたんのうりょく》に応じた負担という原則にたった税制と社会保障制度の確立をめざす。

6　すべての国ぐにとの平等・互恵《ごけい》の経済関係を促進し、南北問題や地球環境問題など、世界的規模の問題の解決への積極的な貢献をはかる。

（一三）民主主義的な変革は、労働者、勤労市民、農漁民、中小企業家、知識人、女性、青年、学生など、独立、民主主義、平和、生活向上を求めるすべての人びとを結集した統一戦線《とういつせんせん》によって、実現される。統一戦線は、反動的《はんどうてき》党派とたたかいながら、民主的党派、各分野の諸団体、民主的な人びととの共同と団結をかためることによってつくりあげられ、成長・発展する。当面のさしせまった任務にもとづく共同と団結は、世界観や歴史観、宗教的信条の違いをこえて、推進されなければならない。

日本共産党は、国民的な共同と団結をめざすこの運動で、先頭にたって推進する役割を果たさなければならない。日本共産党が、高い政治的、理論的な力量と、労働者をはじめ国民諸階層と広く深く結びついた強大な組織力をもって発展することは、統一戦線の発展のための決定的な条件となる。

日本共産党と統一戦線の勢力が、積極的に国会の議席を占め、国会外の運動と結びついてたたかうことは、国民の要求の実現にとっても、また変革の事業の前進にとっても、重要である。

日本共産党と統一戦線の勢力が、国民多数の支持を得て、国会で安定した過半数を占めるならば、統一戦線の政府・民主連合政府をつくることができる。日本共産党は、「国民が主人公」を一貫した信条として活動してきた政党として、国会の多数の支持を得て民主連合政府をつくるために奮闘する。

統一戦線の発展の過程では、民主的改革の内容の主要点のすべてではないが、いくつかの目標では一致し、その一致点にもとづく統一戦線の条件が生まれるという場合も起こりうる。党は、その場合でも、その共同が国民の利益にこたえ、現在の反動支配を打破《だは》してゆくのに役立つかぎり、さしあたって一致できる目標の範囲で統一戦線を形成し、統一戦線の政府をつくるために力をつくす。

また、全国各地で革新・民主の自治体を確立することは、その地方・地域の住民の要求実現の柱となると同時に、国政における民主的革新的な流れを前進させるうえでも、重要な力となる。

民主連合政府の樹立は、国民多数の支持にもとづき、独占資本主義と対米従属の体制を代表する支配勢力の妨害や抵抗を打ち破るたたかいを通じて達成できる。対日支配の存続に固執《こしつ》するアメリカの支配勢力の妨害の動きも、もちろん、軽視することはできない。

このたたかいは、政府の樹立をもって終わるものではない。引き続く前進のなかで、民主勢力の統一と国民的なたたかいを基礎に、統一戦線の政府が国の機構の全体を名実ともに掌握《しょうあく》し、行政の諸機構が新しい国民的な諸政策の担い手となることが、重要な意義をもってくる。

民主連合政府は、労働者、勤労市民、農漁民、中小企業家、知識人、女性、青年、学生など国民諸階層・諸団体の民主連合に基盤をおき、日本の真の独立の回復と民主主義的変革《へんかく》を実行することによって、日本の新しい進路を開く任務をもった政権である。

（一四）民主主義的変革によって独立・民主・平和の日本が実現することは、日本国民の歴史の根本的な転換点となる。日本は、アメリカへの事実上の従属国《じゅうぞくこく》の地位から抜け出し、日本国民は、真の主権を回復するとともに、国内的にも、はじめて国の主人公となる。民主的な改革によって、日本は、戦争や軍事的緊張の根源であることをやめ、アジアと世界の平和の強固な礎《いしずえ》の一つに変わり、日本国民の活力を生かした政治的・経済的・文化的な新しい発展の道がひらかれる。日本の進路の民主的、平和的な転換は、アジアにおける平和秩序の形成の上でも大きな役割を担い、二一世紀におけるアジアと世界の情勢の発展にとって、重大な転換点の一つとなりうるものである。

五、社会主義・共産主義の社会をめざして

（一五）日本の社会発展の次の段階では、資本主義《しほんしゅぎ》を乗り越え、社会主義《しゃかいしゅぎ》・共産主義《きょうさんしゅぎ》の社会への前進をはかる社会主義的変革《へんかく》が、課題となる。これまでの世界では、資本主義時代の高度な経済的・社会的な達成を踏まえて、社会主義的変革に本格的に取り組んだ経験はなかった。発達した資本主義の国での社会主義・共産主義への前進をめざす取り組みは、二一世紀の新しい世界史的な課題である。

社会主義的変革の中心は、主要な生産手段《せいさんしゅだん》の所有・管理・運営を社会の手に移す生産手段の社会化である。社会化の対象となるのは生産手段だけで、生活手段については、この社会の発展のあらゆる段階を通じて、私有財産が保障される。

生産手段の社会化は、人間による人間の搾取《さくしゅ》を廃止し、すべての人間の生活を向上させ、社会から貧困をなくすとともに、労働時間の抜本的な短縮を可能にし、社会のすべての構成員《こうせいいん》の人間的発達を保障する土台をつくりだす。

生産手段の社会化は、生産と経済の推進力《すいしんりょく》を資本の利潤《りじゅん》追求から社会および社会の構成員の物質的精神的な生活の発展に移し、経済の計画的な運営によって、くりかえしの不況を取り除き、環境破壊や社会的格差の拡大などへの有効な規制を可能にする。

生産手段の社会化は、経済を利潤第一主義の狭い枠組《わくぐ》みから解放することによって、人間社会を支える物質的生産力の新たな飛躍的な発展の条件をつくりだす。

社会主義・共産主義の日本では、民主主義と自由の成果をはじめ、資本主義時代の価値ある成果のすべてが、受けつがれ、いっそう発展させられる。「搾取の自由」は制限され、改革の前進のなかで廃止をめざす。搾取の廃止によって、人間が、ほんとうの意味で、社会の主人公となる道が開かれ、「国民が主人公」という民主主義の理念は、政治・経済・文化・社会の全体にわたって、社会的な現実となる。

さまざまな思想・信条の自由、反対政党を含む政治活動の自由は厳格《げんかく》に保障される。「社会主義」の名のもとに、特定の政党に「指導」政党としての特権を与えたり、特定の世界観を「国定《こくてい》の哲学《てつがく》」と意義づけたりすることは、日本における社会主義の道とは無縁であり、きびしくしりぞけられる。

社会主義・共産主義の社会がさらに高度な発展をとげ、搾取や抑《よく》圧《あつ》を知らない世代が多数を占めるようになったとき、原則としていっさいの強制のない、国家権力そのものが不必要になる社会、人間による人間の搾取もなく、抑圧も戦争もない、真に平等で自由な人間関係からなる共同社会《きょうどうしゃかい》への本格的な展望が開かれる。

人類は、こうして、本当の意味で人間的な生存と生活の諸条件をかちとり、人類史の新しい発展段階に足を踏み出すことになる。

（一六）社会主義的変革は、短期間に一挙《いっきょ》におこなわれるもので

はなく、国民の合意のもと、一歩一歩の段階的な前進を必要とする長期の過程《かてい》である。

その出発点となるのは、社会主義・共産主義への前進を支持する国民多数の合意の形成であり、国会の安定した過半数を基礎として、社会主義をめざす権力がつくられることである。そのすべての段階で、国民の合意が前提となる。

日本共産党は、社会主義への前進の方向を支持するすべての党派や人びとと協力する統一戦線《とういつせんせん》政策を堅持《けんじ》し、勤労市民、農漁民、中小企業家にたいしては、その利益を尊重しつつ、社会の多数の人びとの納得《なっとく》と支持を基礎に、社会主義的改革の道を進むよう努力する。

日本における社会主義への道は、多くの新しい諸問題を、日本国民の英知《えいち》と創意《そうい》によって解決しながら進む新たな挑戦と開拓《かいたく》の過程となる。日本共産党は、そのなかで、次の諸点にとくに注意を向け、その立場をまもりぬく。

(1) 生産手段の社会化は、その所有・管理・運営が、情勢と条件に応じて多様な形態をとりうるものであり、日本社会にふさわしい独自の形態の探究が重要であるが、生産者が主役という社会主義の原則を踏みはずしてはならない。「国有化《こくゆうか》」や「集団化《しゅうだんか》」の看板で、生産者を抑圧する官僚専制《かんりょうせんせい》の体制をつくりあげた旧ソ連の誤りは、絶対に再現させてはならない。

(2) 市場経済を通じて社会主義に進むことは、日本の条件にかなった社会主義の法則的な発展方向である。社会主義的改革の推進にあたっては、計画性と市場経済とを結合させた弾力的で効率的な経済運営、農漁業・中小商工業など私的な発意《はつい》の尊重などの努力と探究が重要である。国民の消費生活を統制したり画一化《かくいつか》したりするいわゆる「統制経済《とうせいけいざい》」は、社会主義・共産主義の日本の経済生活では全面的に否定される。

(一七) 社会主義・共産主義への前進の方向を探究することは、日本だけの問題ではない。

二一世紀の世界は、発達した資本主義諸国での経済的・政治的矛盾《むじゅん》と人民の運動のなかからも、資本主義から離脱した国ぐにでの社会主義への独自の道を探究する努力のなかからも、政治的独立をかちとりながら資本主義の枠内では経済的発展の前途を開きえないでいるアジア・中東・アフリカ・ラテンアメリカの広範な国ぐにの人民の運動のなかからも、資本主義を乗り越えて新しい社会をめざす流れが成長し発展することを、大きな時代的特徴としている。

日本共産党は、それぞれの段階で日本社会が必要とする変革の諸課題の遂行に努力をそそぎながら、二一世紀を、搾取も抑圧もない共同社会の建設に向かう人類史的な前進の世紀とすることをめざして、力をつくすものである。

日本共産党規約

（第22回党大会　２０００年11月24日改定）

第一章　日本共産党の名称、性格、組織原則

第一条　党の名称は、日本共産党とする。

第二条　日本共産党は、日本の労働者階級の党であると同時に、日本国民の党であり、民主主義、独立、平和、国民生活の向上、そして日本の進歩的未来のために努力しようとするすべての人びとにその門戸を開いている。

党は、創立以来の「国民が主人公」の信条に立ち、つねに国民の切実な利益の実現と社会進歩の促進《そくしん》のためにたたかい、日本社会のなかで不屈の先進的な役割をはたすことを、自らの責務として自覚している。終局の目標として、人間による人間の搾取《さくしゅ》もなく、抑圧《よくあつ》も戦争もない、真に平等で自由な人間関係からなる共同社会の実現をめざす。

党は、科学的社会主義を理論的な基礎とする。

第三条　党は、党員の自発的な意思によって結ばれた自由な結社であり、民主集中制を組織の原則とする。その基本は、つぎのとおりである。

（一）　党の意思決定は、民主的な議論をつくし、最終的には多数決で決める。

（二）　決定されたことは、みんなでその実行にあたる。行動の統一は、国民にたいする公党としての責任である。

（三）　すべての指導機関は、選挙によってつくられる。

（四）　党内に派閥・分派はつくらない。

（五）　意見がちがうことによって、組織的な排除をおこなってはならない。

第二章　党　員

第四条　十八歳以上の日本国民で、党の綱領と規約を認める人は党員となることができる。党員は、党の組織にくわわって活動し、規定の党費を納める。

第五条　党員の権利と義務は、つぎのとおりである。

（一）　市民道徳と社会的道義をまもり、社会にたいする責任をはたす。

（二）　党の統一と団結に努力し、党に敵対する行為はおこなわない。

（三）　党内で選挙し、選挙される権利がある。

（四）　党の会議で、党の政策、方針について討論し、提案することができる。

（五）　党の諸決定を自覚的に実行する。決定に同意できない場合

は、自分の意見を保留することができる。その場合も、その決定を実行する。党の決定に反する意見を、勝手に発表することはしない。

（六）党の会議で、党のいかなる組織や個人にたいしても批判することができる。また、中央委員会にいたるどの機関にたいしても、質問し、意見をのべ、回答をもとめることができる。

（七）党大会、中央委員会の決定をすみやかに読了し、党の綱領路線と科学的社会主義の理論の学習につとめる。

（八）党の内部問題は、党内で解決する。

（九）党歴や部署のいかんにかかわらず、党の規約をまもる。

（十）自分にたいして処分の決定がなされる場合には、その会議に出席し、意見をのべることができる。

第六条　入党を希望する人は、党員二名の推薦《すいせん》をうけ、入党費をそえて申し込む。

いちじるしく反社会的で、党への信頼をそこなう人は入党させることができない。

入党は、支部で個別に審議したうえで決定し、地区委員会の承認をうける。

地区委員会以上の指導機関も、直接入党を決定することができる。

第七条　他の政党の党員は、同時に日本共産党員であることができない。

他党の党員であった経歴をもつ人を入党させる場合には、都道府県委員会または中央委員会の承認をうける。

第八条　党組織は、新入党者にたいし、その成長を願う立場から、綱領、規約など、日本共産党の一員として活動するうえで必要な基礎知識を身につけるための教育を、最優先でおこなう。

第九条　転勤・転職・退職・転居などによって所属組織の変更が必要となる場合、党員と党組織はすみやかに転籍の手続きをおこなう。

第十条　党員は離党できる。党員が離党するときは、支部または党の機関に、その事情をのべ承認をもとめる。支部または党の機関は、その事情を検討し、会議にはかり、離党を認め、一級上の指導機関に報告する。ただし、党規律違反行為をおこなっている場合は、それにたいする処分の決定が先行する。

一年以上党活動にくわわらず、かつ一年以上党費を納めない党員で、その後も党組織が努力をつくしたにもかかわらず、党員として活動する意思がない場合は、本人と協議したうえで、離党の手続きをとることができる。本人との協議は、党組織の努力にもかかわらず不可能な場合にかぎり、おこなわなくてもよい。

第十一条　党組織は、第四条に定める党員の資格を明白に失った党員、あるいはいちじるしく反社会的な行為によって、党への信頼をそこなった党員は、慎重《しんちょう》に調査、審査のうえ、除籍することができる。除籍にあたっては、本人と協議する。党組織の努力にもかかわらず協議が不可能な場合は、おこなわなくてもよい。除籍は、一級上の指導機関の承認をうける。

除籍された人が再入党を希望するときは、支部・地区委員会で審議し、都道府県委員会が決定する。

第三章　組織と運営

第十二条　党は、職場、地域、学園につくられる支部を基礎とし、基本的には、支部――地区――都道府県――中央という形で組織される。

第十三条　党のすべての指導機関は、党大会、それぞれの党会議および支部総会で選挙によって選出される。中央、都道府県および地区の役員に選挙される場合は、二年以上の党歴が必要である。

選挙人は自由に候補者を推薦《すいせん》することができる。指導機関は、次期委員会を構成する候補者を推薦する。選挙人は、候補者の品性《ひんせい》、能力、経歴について審査する。

選挙は無記名投票による。表決は、候補者一人ひとりについておこなう。

第十四条 党大会、および都道府県・地区・支部の党会議は代議員の過半数（支部総会は党員総数の過半数）の出席によって成立する。中央委員会、都道府県委員会、地区委員会の総会も、委員の過半数の出席によって成立する。

第十五条 党機関が決定をおこなうときは、党組織と党員の意見をよくきき、その経験を集約、研究する。出された意見や提起されている問題、党員からの訴えなどは、すみやかに処理する。党員と党組織は、党の政策・方針について党内で討論し、意見を党機関に反映する。

第十六条 党組織には、上級の党機関の決定を実行する責任がある。その決定が実情にあわないと認めた場合には、上級の機関にたいして、決定の変更をもとめることができる。上級の機関がさらにその決定の実行をもとめたときには、意見を保留して、その実行にあたる。

第十七条 全党の行動の統一をはかるために、国際的・全国的な性質の問題については、個々の党組織と党員は、党の全国方針に反する意見を、勝手に発表することをしない。

地方的な性質の問題については、その地方の実情に応じて、都道府県機関と地区機関で自治的に処理する。

第十八条 新しく支部および地区組織をつくったり、地区組織の管轄《かんかつ》をかえたりする場合は、一級上の指導機関に申請し、その承認をうける。

都道府県委員会は、必要に応じて、大都市など、いくつかの地区にわたる広い地域での活動を推進するために、補助指導機関をもうけることができる。

また、地区委員会および都道府県委員会は、経営や地域（区・市・町村）、学園にいくつかの支部がある場合、必要に応じて、補助的な指導機関をもうけることができる。

補助指導機関を設置するさいには、一級上の指導機関の承認を必要とし、構成は、対応する諸地区委員会および諸支部からの選出による。

補助指導機関の任務と活動は、自治体活動やその地域・経営・学園での共同の任務に対応することにあり、地区委員会や都道府県委員会にかわって基本指導をになうことではない。

第四章　中央組織

第十九条 党の最高機関は、党大会である。党大会は、中央委員会によって招集され、二年または三年のあいだに一回ひらく。特別な事情のもとでは、中央委員会の決定によって、党大会の招集を延期することができる。中央委員会は、党大会の招集日と議題をおそくとも三カ月前に全党に知らせる。

中央委員会が必要と認めて決議した場合、または三分の一以上の都道府県党組織がその開催をもとめた場合には、前大会の代議員によって、三カ月以内に臨時党大会をひらく。

党大会の代議員選出の方法と比率は、中央委員会が決定する。

代議員に選ばれていない中央委員、准中央委員は評議権をもつが、決議権をもたない。

第二十条 党大会は、つぎのことをおこなう。

（一）中央委員会の報告をうけ、その当否を確認する。

（二）中央委員会が提案する議案について審議・決定する。

（三）党の綱領、規約をかえることができる。

（四）中央委員会を選出する。委員会に准中央委員をおくことができる。

第二十一条　党大会からつぎの党大会までの指導機関は中央委員会である。中央委員会は、党大会決定の実行に責任をおい、主としてつぎのことをおこなう。

（一）対外的に党を代表し、全党を指導する。

（二）中央機関紙を発行する。

（三）党の方針と政策を、全党に徹底《てってい》し、実践する。その経験をふまえてさらに正しく発展させる。

（四）国際問題および全国にかかわる問題について処理する責任をおう。

（五）科学的社会主義にもとづく党の理論活動をすすめる。

（六）幹部を系統的に育成し、全党的な立場で適切な配置と役割分担をおこなう。

（七）地方党組織の権限に属する問題でも、必要な助言をおこなうことができる。

（八）党の財政活動の処理と指導にあたる。

第二十二条　中央委員会総会は、一年に二回以上ひらく。中央委員の三分の一以上の要求があったときは中央委員会総会をひらかなければならない。准中央委員は、評議権をもって中央委員会総会に出席する。

第二十三条　中央委員会は、中央委員会幹部会委員と幹部会委員長、幹部会副委員長若干名、書記局長を選出する。また、中央委員会議長を選出することができる。

中央委員会は必要が生じた場合、准中央委員のなかから中央委員を補《おぎな》うことができる。また、やむをえない理由で任務をつづけられない委員・准委員は、本人の同意をえて、中央委員会の三分の二以上の多数決で解任することができる。その場合、つぎの党大会に報告し承認をうける。

第二十四条　中央委員会幹部会は、中央委員会総会からつぎの中央委員会総会までのあいだ中央委員会の職務をおこなう。

幹部会は常任幹部会を選出する。常任幹部会は、幹部会の職務を日常的に遂行《すいこう》する。

幹部会は、書記局長を責任者とする書記局を設《もう》け、書記局員を任命する。書記局は、幹部会および常任幹部会の指導のもとに、中央の日常活動の処理にあたる。

幹部会は、中央機関紙の編集委員を任命する。

第二十五条　中央委員会は、訴願《そがん》委員を任命する。訴願委員会は、党機関の指導その他党活動にかかわる具体的措置《そち》にたいする党内外の人からの訴え、要望などのすみやかな解決を促進《そくしん》する。

第二十六条　中央委員会は、規律委員を任命する。規律委員会は、つぎのことをおこなう。

（一）党員の規律違反について調査し、審査する。

（二）除名その他の処分についての各級党機関の決定にたいする党員の訴えを審査する。

第二十七条　中央委員会は、監査委員を任命する。監査委員会は、中央機関の会計と事業、財産を監査する。

第二十八条　中央委員会は、名誉役員をおくことができる。中央委員会が、名誉役員をおくときは、党大会に報告し承認をうける。

第五章　都道府県組織

第二十九条　都道府県組織の最高機関は、都道府県党会議である。都道府県党会議は、都道府県委員会によって招集され、一年に一回ひらく。特別な事情のもとでは、都道府県委員会は、中央委員会の承認をえて、招集を延期することができる。

都道府県委員会が必要と認めて決議した場合、または三分の一以上の地区党組織がその開催をもとめた場合には、前党会議の代議員によって、すみやかに臨時党会議をひらく。

都道府県党会議の代議員の選出方法と比率は、都道府県委員会が決定する。

代議員に選ばれていない都道府県委員、准都道府県委員は評議権をもつが、決議権をもたない。

第三十条　都道府県党会議は、つぎのことをおこなう。

（一）都道府県委員会の報告をうけ、その当否を確認する。

（二）党大会と中央委員会の方針と政策を、その地方に具体化して、都道府県における党の方針と政策を決定する。

（三）都道府県委員会を選出する。委員会に准都道府県委員をおくことができる。

（四）党大会が開催されるときは、その代議員を選出する。

第三十一条　都道府県党会議からつぎの都道府県党会議までの指導機関は都道府県委員会である。都道府県委員会は、都道府県党会議決定の実行に責任をおい、主としてつぎのことをおこなう。

（一）その都道府県で党を代表し、都道府県の党組織を指導する。

（二）中央の諸決定の徹底《てってい》をはかるとともに、具体化・実践する。

（三）地方的な問題は、その地方の実情に応じて、自主的に処理する。

（四）幹部を系統的に育成し、適切な配置と役割分担をおこなう。

（五）地区党組織の権限に属する問題でも、必要な助言をおこなうことができる。

（六）都道府県党組織の財政活動の処理と指導にあたる。

第三十二条　都道府県委員会は、委員長と常任委員会を選出する。また必要な場合は、副委員長および書記長をおくことができる。

常任委員会は、都道府県委員会総会からつぎの総会までのあいだ、都道府県委員会の職務をおこなう。

都道府県委員会は、必要が生じた場合、准都道府県委員のなかから都道府県委員を補《おぎな》うことができる。また、やむをえない理由で任務をつづけられない委員・准委員は、本人の同意をえて、都道府県委員会の三分の二以上の多数決で解任することができる。その場合、つぎの都道府県党会議に報告し、承認をうける。

都道府県委員会は、その会計と事業、財産を監査するために監査委員会をもうけることができる。

第三十三条　都道府県委員会は、名誉役員をおくことができる。都道府県委員会が、名誉役員をおくときは、都道府県党会議に報告し承認をうける。

第六章　地区組織

第三十四条　地区組織の最高機関は、地区党会議である。地区党会議は、地区委員会によって招集され、一年に一回ひらく。特別な事情のもとでは、地区委員会は、都道府県委員会および中央委員会の承認をえて、招集を延期することができる。

地区委員会が必要と認めて決議した場合、または三分の一以上の支部がその開催をもとめた場合には、前党会議の代議員によって、すみやかに臨時党会議をひらく。

地区党会議の代議員の選出方法と比率は、地区委員会が決定する。

代議員に選ばれていない地区委員、准地区委員は評議権をもつが、決議権をもたない。

第三十五条　地区党会議は、つぎのことをおこなう。

（一）地区委員会の報告をうけ、その当否を確認する。

（二）中央および都道府県の党機関の方針と政策を、その地区に具体化し、地区の方針と政策を決定する。

（三）地区委員会を選出する。委員会に准地区委員をおくことができる。

（四）都道府県党会議が開催されるときは、その代議員を選出する。

第三十六条　地区党会議からつぎの地区党会議までの指導機関は地区委員会である。地区委員会は、地区党会議決定の実行に責任をおい、主としてつぎのことをおこなう。

（一）その地域で党を代表し、地区の党組織を指導する。

（二）中央および都道府県の党機関の決定の徹底《てってい》をはかるとともに、具体化・実践する。

（三）地区的な問題は、その地区の実情に応じて、自主的に処理する。

（四）支部活動を指導する直接の任務をもつ指導機関として、支部への親身な指導と援助にあたる。

（五）幹部を系統的に育成し、適切な配置と役割分担をおこなう。

（六）地区党組織の財政活動の処理と指導にあたる。

第三十七条　地区委員会は、委員長と常任委員会を選出する。また必要な場合は、副委員長をおくことができる。常任委員会は、地区委員会総会からつぎの総会までのあいだ、地区委員会の職務をおこなう。

地区委員会は、必要が生じた場合、准地区委員のなかから地区委員を補《おぎな》うことができる。また、やむをえない理由で任務をつづけられない委員・准委員は、本人の同意をえて、地区委員会の三分の二以上の多数決で解任することができる。その場合、つぎの地区党会議に報告し承認をうける。

第七章　支　部

第三十八条　職場、地域、学園などに、三人以上の党員がいるところでは、支部をつくる。支部は、党の基礎組織であり、それぞれの職場、地域、学園で党を代表して活動する。

状況によっては、社会生活・社会活動の共通性にもとづいて支部をつくることができる。

党員が三人にみたないときは付近の支部にはいるか、または支部準備会をつくる。

第三十九条　支部の最高機関は、支部の総会または党会議である。支部の総会または党会議は、すくなくとも六カ月に一回ひらく。

支部の総会または党会議は、つぎのことをおこなう。

（一）活動の総括《そうかつ》をおこない、上級の機関の決定を具体化し、活動方針をきめる。

（二）支部委員会または支部長を選出する。

（三）地区党会議が開催されるときは、その代議員を選出する。

第四十条　支部の任務は、つぎのとおりである。

（一）それぞれの職場、地域、学園で党を代表して活動する。

（二）その職場、地域、学園で多数者の支持をえることを長期的な任務とし、その立場から、要求にこたえる政策および党勢拡大の目標と計画をたて、自覚的な活動にとりくむ。

（三）支部の会議を、原則として週一回定期的にひらく。党費を集める。党大会と中央委員会の決定をよく討議し、支部活動に具体化する。要求実現の活動、党勢拡大、機関紙活動に積極的にとりくむ。

（四）　党員が意欲をもって、党の綱領や歴史、科学的社会主義の理論の学習に励むよう、集団学習などにとりくむ。
（五）　支部員のあいだの連絡・連帯網を確立し、党員一人ひとりの活動状況に目をむけ、すべての支部員が条件と得手《えて》を生かして活動に参加するよう努力するとともに、支部員がたがいに緊密に結びつき、援助しあう人間的な関係の確立をめざす。
（六）　職場の支部に所属する党員は、居住地域でも活動する。
第四十一条　支部総会（党会議）からつぎの支部総会（党会議）までの指導機関は、支部委員会である。支部委員会は支部長を選出する。ただし、党員数が少ない支部は、支部長を指導機関とする。どちらの場合にも状況に応じて副支部長をおくことができる。
支部には、班をもうけることができる。班には、班長をおく。

第八章　党外組織の党グループ

第四十二条　各種の団体・組織で、常任役員の党員が三人以上いる場合には、党グループを組織し、責任者を選出することができる。

党グループは、その構成と責任者の選出について対応する指導機関の承認をうけ、またその指導をうけて活動する。活動のなかで、その団体の規約を尊重することは、党グループの責務である。

党グループは、支部に準じて、日常の党生活をおこなう。

第九章　被《ひ》選出公職機関の党組織

第四十三条　国会に選出された党の議員は、国会議員団を組織する。
国会議員団は、中央委員会の指導のもとに、必要な指導機構をもうけ、国会において党の方針、政策にもとづいて活動する。その主なものは、つぎのとおりである。
（一）　国民の利益をまもるために、国会において党を代表してたたかい、国政の討論、予算の審議、法案の作成、そのほかの活動をおこなう。
（二）　国会外における国民の闘争と結合し、その要求の実現につとめる。
（三）　国民にたいして、国会における党の活動を報告する。
党の議員は、規律に反し、また国民の利益をいちじるしく害して責任を問われた場合は、決定にしたがって、議員をやめなければならない。

第四十四条　各級地方自治体の議会に選挙された党の議員は、適切な単位で必ず党議員団を構成する。すべての議員は、原則として議員団で日常の党生活をおこなう。党議員団は、対応する指導機関の指導のもとに活動する。

党の地方議員および地方議員団は、第四十三条の国会議員団の活動に準じて、地方住民の利益と福祉のために活動する。

都道府県委員会および地区委員会は、地方議員および地方議員団を責任をもって指導する。

第十章　資　金

第四十五条　党の資金は、党費、党の事業収入および党への個人の寄付などによってまかなう。
第四十六条　党費は、実収入の一パーセントとする。
党費は、月別、または一定期間分の前納で納入する。
失業している党員、高齢または病気によって扶養《ふよう》をうけている党員など生活の困窮《こんきゅう》している党員の党費は、軽減し、または免除することができる。

第四十七条　中央委員会、都道府県委員会、地区委員会は、それぞれの資金と資産を管理する。

第十一章　規　律

第四十八条　党員が規約とその精神に反し、党と国民の利益をいちじるしくそこなうときは規律違反として処分される。

規律違反について、調査審議中の党員は、第五条の党員の権利を必要な範囲で制限することができる。ただし、六カ月をこえてはならない。

第四十九条　規律違反の処分は、事実にもとづいて慎重《しんちょう》におこなわなくてはならない。

処分は、警告、権利（部分または全面）停止、機関からの罷免《ひめん》、除名にわける。

権利停止の期間は、一年をこえてはならない。機関からの罷免《ひめん》は、権利停止をともなうことができる。

第五十条　党員にたいする処分は、その党員の所属する支部の党会議、総会の決定によるとともに、一級上の指導機関の承認をえて確定される。

特別な事情のもとでは、中央委員会、都道府県委員会、地区委員会は、党員を処分することができる。この場合、地区委員会のおこなった処分は都道府県委員会の承認をえて確定され、都道府県委員会がおこなった処分は中央委員会の承認をえて確定される。

第五十一条　都道府県、地区委員会の委員、准委員にたいする権利停止、機関からの罷免《ひめん》、除名は、その委員会の構成員の三分の二以上の多数決によって決定し、一級上の指導機関の承認をうける。

この処分は、つぎの党会議で承認をうけなくてはならない。

緊急にしてやむをえない場合には、中央委員会は、規律違反をおこなった都道府県・地区機関の役員を処分することができる。

第五十二条　中央委員会の委員、准委員の権利停止、機関からの罷免《ひめん》、除名は、中央委員会の三分の二以上の多数決によって決定し、つぎの党大会で承認をうけなくてはならない。

第五十三条　複数の機関の委員、准委員を兼《か》ねている党員の処分は、上級の機関からきめる。

第五十四条　除名は、党の最高の処分であり、もっとも慎重《しんちょう》におこなわなくてはならない。党員の除名を決定し、または承認する場合には、関係資料を公平に調査し、本人の訴えをききとらなくてはならない。

除名された人の再入党は、中央委員会が決定する。

第五十五条　党員にたいする処分を審査し、決定するときは、特別の場合をのぞいて、所属組織は処分をうける党員に十分意見表明の機会をあたえる。処分が確定されたならば、処分の理由を、処分された党員に通知する。各級指導機関は、規律の違反とその処分について、中央委員会にすみやかに報告する。

処分をうけた党員は、その処分に不服であるならば、処分を決定した党組織に再審査をもとめ、また、上級の機関に訴えることができる。被《ひ》除名者が処分に不服な場合は、中央委員会および党大会に再審査をもとめることができる。

付　則

第五十六条　中央委員会は、この規約に決められていない問題については、規約の精神にもとづいて、処理することができる。

第五十七条　綱領、規約の改定は、党大会によってのみおこなわれる。

この規約は二〇〇〇年十一月二十四日から効力をもつ。